Manual
del Giova
Animal

Manuale del Giovane Animalista

di Marina Baruffaldi

Illustrazioni di Alberto Rebori

MONDADORI

Sommario

7 *Premessa*

8 **Capitolo 1**
8 Uomini e animali – 11 *A cavallo del padrone* – 12 Che cos'è l'animalismo – 14 *Una parola nuova* – 15 *Vacche sacre* – 16 *Senza animali*

18 **Capitolo 2**
18 I primi animalisti – 20 *Un meccanismo da smontare* – 21 Libertà, uguaglianza, fraternità – 22 *Donne e bestie* – 24 *Esseri superiori*

26 **Capitolo 3**
26 I diritti degli animali – 27 *La prima legge* – 29 *Se il nonno è una scimmia* – 29 Animali come persone – 33 *Animalisti guerriglieri* – 34 Verso una giustizia tra le specie – 38 *I principi dei diritti*

40 **Capitolo 4**
40 L'animale macchina – 44 *Un assurdo economico* – 45 *Mucche pazze* – 45 Le cinque

Redazione di Maria Vittoria Chiaramonti
Grafica di Franco Morati
Prima edizione novembre 1997
Stampato presso le Artes Graficas Toledo S.A., Toledo (Spagna)
Gruppo Mondadori
ISBN 88-04-43323-X
D.L.TO: 1545-1997

libertà – 48 *Si cambia sistema* – 49 *Denunciare gli abusi* – 50 Carne? No, grazie – 52 Vegetariani e vegetaliani – 53 *Niente cadaveri* – 54 *Chi ci mangiamo oggi?*

56 **Capitolo 5**
56 Vivisezione oppure no – 59 *Crudeli ma non troppo* – 60 Gli animali transgenici – 62 *L'isola del dottor Moretti*

64 **Capitolo 6**
64 Giocattoli vivi – 65 *Non chiamarmi* pet – 67 *Assolutamente miao* – 68 *Per fortuna c'è la USL* – 71 La giungla in casa – 73 *No, in gabbia no* – 74 *Dall'Amazzonia alle fogne* – 74 Attenti al riccio – 78 *Dal diario di una gatta*

80 **Capitolo 7**
80 Bello, sí, ma "*cruelty free*" – 82 *Adottami!* – 83 Armati fino ai denti – 85 *Viva la volpe!* – 86 Tori, galli e piccioni – 88 *Reincarnazione*

90 **Capitolo 8**
90 Consigli ai giovani animalisti – 96 Indirizzi utili – 102 *Divento vegetaliano*

Premessa

Da tempo immemorabile gli animali abitano il pianeta al nostro fianco, e sono importantissimi sia per la sopravvivenza che per lo sviluppo della civiltà umana. Ma fino a che punto l'uomo (che, non dimentichiamolo, appartiene anch'esso a una specie animale) ha il diritto di disporre della vita degli "animali non umani", di provocare la loro sofferenza, di trattarli come risorse e come merci? Fino a che punto è giusto che la nostra specie usi le altre senza riguardi, stravolga la loro esistenza o addirittura le spazzi via dalla faccia del pianeta? Sono in molti, ormai, a pensare che il rapporto tra uomo e animale vada profondamente rinnovato, sulla base di principi etici che valgono per la nostra come per altre specie, e questo manuale si propone come una piccola guida per tutti quei ragazzi che sono curiosi di informarsi, di approfondire l'argomento e di conoscere i tanti e diversi modi in cui si può entrare in relazione con gli animali e agire a loro favore.

Capitolo 1

Uomini e animali

Da diecimila anni a questa parte (cioè da quando è cominciata la domesticazione e gli animali sono entrati in qualche modo a far parte della comunità umana) i rapporti tra gli uomini e le altre specie animali sono strettissimi e si configurano in molte e diverse maniere.

Gli animali, infatti, sono:

- una fonte di **cibo**, perché non solo se ne mangia la carne, ma il loro corpo è capace di trasformare sostanze non commestibili per l'uomo in alimenti preziosi, come le uova o il latte;

- una fonte di **energia e di forza lavoro**, perché, se è vero che nei paesi industrializzati ormai da tempo né i trasporti né la produzione di energia sono legati allo sfruttamento degli animali, in molti paesi in via di sviluppo questo accade ancora, e in misura piuttosto rilevante;

• una fonte di **materie prime**; dalla lana alla pelle, dalle unghie alla pelliccia, dalle zanne al guscio, alle corna, alle ossa, alle interiora, alle ghiandole odorifere... ogni minima parte degli animali uccisi viene utilizzata per confezionare capi di vestiario, oggetti per la casa, ornamenti, medicinali, profumi, cosmetici e un'infinità di altre cose;

• **soggetti da esperimento** per gli scienziati, che li usano per studiare gli effetti di virus e batteri sugli organismi viventi, per tentare ardite operazioni prima di effettuarle sull'uomo, per sperimentare farmaci o verificare la pericolosità di determinate sostanze, e cosí via;

• **oggetti di meraviglia e di divertimento,** come dimostra l'uso antichissimo di rinchiudere animali esotici negli zoo, di ammaestrarli per esibirli nei circhi o in altri tipi di spettacolo, di usarli per corride (tori), corse (cani e cavalli), lotte (cani e galli), per la caccia eccetera.

• **divinità e simboli**; quante religioni hanno scelto gli animali come dèi, o li hanno associati alle loro divinità? Basta sfogliare un “Bestiario” medioevale, inoltre, per scoprire sino a che punto il nostro immaginario umano sia legato agli animali e li abbia eletti a simbolo di virtú, vizi e straordinari poteri.

• **amici** di cui ci si prende cura e che offrono compagnia e affetto a chi li ha scelti come compagni di vita.

Non è difficile notare, in conclusione, che, anche se a volte la relazione tra uomo e animale è di tipo amichevole o affettivo simbolico, molto piú spesso si risolve in un rapporto di sfruttamento a tutto vantaggio degli uomini, sia per gli animali domestici come per quelli selvatici.
E questo perché la grande maggioranza delle società umane considera gli animali da un punto di vista strettamente **antropocentrico**: una parola

difficile che significa “mettere l’uomo e i suoi bisogni al centro di ogni cosa”, come se tutto il resto della creazione fosse al suo esclusivo servizio. In base a questo punto di vista, tutte le altre specie animali sono soggette all’animale uomo, che può usarle come crede, condizionarne la vita, modificarne l’ambiente, trattarle crudelmente, ucciderle e nutrirsene senza porsi problemi morali di alcun genere e senza curarsi della sofferenza provocata.

A cavallo del padrone

Le fiabe popolari, ma anche la letteratura dei secoli scorsi, presentavano spesso esempi di “mondo alla rovescia” in cui gli animali riservavano agli uomini lo stesso trattamento che in genere toccava a loro: cosí l’asino cavalcava l’uomo frustandolo crudelmente, la lepre sparava al cacciatore, il cane legava il padrone alla catena e l’uccellino dava il becchime a un essere umano chiuso in gabbia.

Che cos'è l'animalismo

Ma è proprio vero che gli animali sono solo potenziali bistecche, future paia di scarpe, cavie da vivisezionare, giocattoli con cui alleviare la propria solitudine?

Chi dice che gli animali "non contano" spesso sostiene che sono semplici bruti privi di razionalità, di coscienza e di intelligenza, guidati solo dall'istinto, nonostante l'**etologia** (ossia lo studio del comportamento degli animali, incluso l'uomo) ci abbia da tempo rivelato che buona parte dei milioni di specie animali esistenti in natura sono, sia pure in modi diversi, capaci di pensare, di amare, di sognare, di dare uno scopo ai propri comportamenti, di imparare e perfino di avere una propria morale.

A differenza di alcune religioni orientali, inoltre, per molto tempo il cristianesimo e l'ebraismo hanno riservato scarsa attenzione ai non umani, considerati privi di anima e quindi semplici strumenti al servizio dell'uomo, fatto a immagine e somiglianza di Dio. Ma questa sostanziale indifferenza è, secondo alcuni, comune a tutto il pensiero occidentale, e l'idea che i non umani siano semplicemente dei "mezzi" di cui l'uomo può servirsi a suo piacere può essere fatta risalire addirittura all'antica Grecia.

Nel corso del tempo, comunque, si è lentamente fatta strada l'idea che gli animali abbiano alcuni diritti fondamentali, in quanto individui la cui esistenza non ha come scopo quello di soddisfare i bisogni e le necessità degli uomini.
È cosí che è nato, negli anni '70, quello che viene definito **animalismo**, ossia un insieme di teorie, di atteggiamenti e anche di movimenti organizzati, con un fine preciso: il riconoscimento degli obblighi morali che l'uomo ha nei confronti degli animali, e il superamento dello **specismo**, cioè della convinzione che le regole etiche e morali si applichino solo all'animale uomo e non ad altre specie.

Spesso gli animalisti vengono confusi con gli **zoofili**, cioè con coloro che amano genericamente gli animali, oppure con gli **ambientalisti,** che si preoccupano della difesa dell'ambiente e degli equilibri ecologici.

Una parola nuova
Fino a non molto tempo fa, nei vocabolari della lingua italiana, alla voce "animalista" si leggeva soltanto: "chi dipinge o scolpisce soggetti animalistici". La parola ha preso un senso del tutto nuovo solo a partire dai primi anni '80.

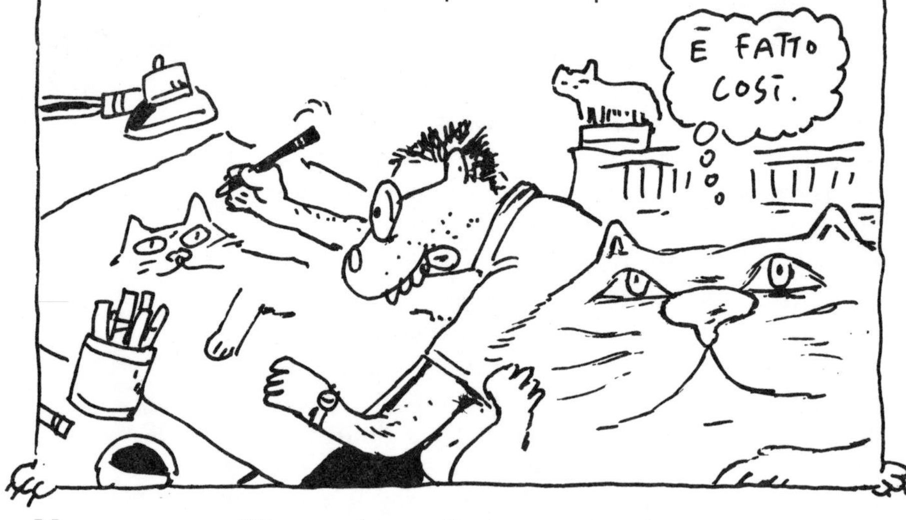

Ma essere zoofili o ambientalisti non significa automaticamente essere animalisti: si possono amare i cani, per esempio, e mangiare tranquillamente i vitelli oppure andare a caccia di anatre; e se avere a cuore l'ambiente e la sua conservazione comporta anche l'attenzione per le specie animali che in esso vivono, va tuttavia sottolineato che l'interesse dell'ambientalista è piú spesso rivolto alle specie selvatiche in pericolo che ai milioni di animali torturati, uccisi e utilizzati ogni giorno dall'uomo per i piú diversi fini.
Il vero animalista, invece, è mosso innanzitutto da una profonda esigenza di giustizia nei confronti degli animali non umani, in base alla convinzione che nessun essere senziente e capace di provare dolore (e gli animali lo sono) dovrebbe avere una vita indegna di essere vissuta.

La citazione

Se fra gli uomini le differenze di capacità mentali, di aspetto, di condizione non danno ad alcuno il diritto di insultare un suo simile, per la stessa ragione un umano non ha nessun diritto di tormentare una bestia solo perché questa non possiede le sue stesse facoltà mentali.

Humpry Primatt, 1776

Vacche sacre

Una delle religioni piú attente alla sorte e alla sofferenza degli animali è il buddismo, nato dalla predicazione del principe indiano Siddharta Gautama (565-486 a.C.) detto il Buddha. Il buddismo vieta i sacrifici di animali e condanna la loro uccisione e macellazione.

Ancora piú radicale è il giainismo, religione diffusa esclusivamente in India dove ha circa due milioni di fedeli strettamente vegetariani che, per evitare di uccidere qualsiasi animale, seguono regole rigidissime: prima di posare il piede per terra i sacerdoti spazzano delicatamente strade e sentieri per allontanare gli insetti, e si coprono bocca e naso con mascherine per evitare di inghiottire involontariamente le piú minuscole creature. Inoltre i giainisti mantengono numerosi ricoveri per animali malati o in difficoltà, ratti compresi.

Anche l'induismo prevede forti limitazioni nell'uccisione degli animali: i bovini, infatti, sono sacri e non possono essere né uccisi né mangiati.

SENZA ANIMALI
CHE COSA SAREBBE IL MONDO SENZA GLI ANIMALI?
SENZA GLI UCCELLINI CHE GARRISCONO NEL CIELO...
GARRISCO.
CHE FA?
GARRISCE.
... SENZA I PESCI CHE GUIZZANO NEL MARE...
GUIZZO!
ORA TI GUIZZO IO.

...SENZA IL PIO BOVE...
SIAMO IN DUE.
QUINDI SIAMO I PII BOVI.
...SENZA L'ALACRE LAVORO DELLE API?
LAVORIAMO ALACREMENTE ANCHE TUTTE LE DOMENICHE.
SE NON CI FOSSERO...
...CI SENTIREMMO PIÙ SOLI.
OH, API, LASCIATE CHE VI BACI E VI ABBRACCI!
CHE VUOLE QUELL'ANIMALE?
È PAZZA?!

Capitolo 2

I primi animalisti

L'animalismo, anche se come corrente di pensiero e come movimento organizzato è relativamente recente, ha radici molto lontane.

È vero che nel mondo antico, per lo meno in Occidente, riguardo agli animali la si pensava piú o meno cosí: «Non v'è amicizia, né legame di giustizia verso le cose prive di anima, né vi sono legami verso un cavallo o un bue, né verso uno schiavo in quanto schiavo: nulla vi è infatti in comune.»

Queste sono parole di **Aristotele**, il grande filosofo greco vissuto nel III secolo a.C., secondo il quale in natura esisteva una precisa gerarchia: al vertice c'era l'essere umano di sesso maschile, del tutto razionale e cittadino a pieno diritto, e al di sotto di lui le donne, gli schiavi, gli animali…

Ma non tutti erano d'accordo: i filosofi **Pitagora e Porfirio**, greci anche loro, raccomandavano invece di essere giusti nei confronti degli animali, vista la parentela che unisce gli esseri viventi, che appartengono tutti alla Terra. E anche lo storico **Plutarco**, che si chiedeva se fosse giusto mangiare i corpi degli animali uccisi, era dello stesso parere: per essere veramente umani, infatti, bisogna dimostrare benevolenza a tutti quegli esseri «che abitano con noi lo stesso mondo, respirano la nostra stessa aria, comunicano con sguardi e gesti».

Fu solo nel Settecento, però, che cominciò un vero e proprio dibattito sul rapporto tra animali umani e non umani, forse perché i grandi temi di quel secolo furono quelli della ragione, dei diritti degli oppressi, di un ritorno alla natura concepito come armonia fra tutte le creature.

Tra i pensatori e i filosofi che affrontarono il problema ci fu **Jean Jacques Rousseau**; nel suo *Discorso sull'origine e fondamento dell'ineguaglianza fra gli uomini* (1754) sostenne che gli animali, essendo dotati di sensibilità, non debbano essere inutilmente maltrattati, e che «l'uomo sia tenuto nei loro riguardi a taluni doveri». E questo soprattutto in nome della pietà innata in ogni uomo, che provoca «la ripugnanza naturale a veder perire o soffrire ogni essere umano».

Ma uno dei primi veri animalisti fu **Voltaire**, il grande pensatore francese, avversario della vivisezione, che nel suo *Dizionario filosofico* (1764) tende ad abolire il rigido confine tra le specie e sostiene che la incapacità di parlare non significa automaticamente incapacità di sentire e di pensare: anche gli animali, infatti, possiedono un loro linguaggio e sono perfettamente in grado di farsi capire. Secondo Voltaire, insomma, gli animali non umani non si possono definire oggetti, ma vanno piuttosto riconosciuti come *altri* soggetti, diversi da noi ma non per questo destinati ad essere vittime della crudeltà, della violenza, del fanatismo.

Un meccanismo da smontare
Nel diciassettesimo secolo il grande filosofo francese René Descartes scrisse che gli animali erano come macchine insensibili e perfette, e che i loro lamenti non esprimevano la sofferenza, ma si potevano considerare segnali che il meccanismo si era inceppato o rovinato. E fu proprio in quel periodo che la vivisezione di animali, considerati appunto come macchine da smontare, ebbe grandissimo impulso.

La citazione
Verrà il giorno in cui il resto degli esseri animali potrà acquistare quei diritti che non gli sono mai stati negati se non per mano della tirannia.

Jeremy Bentham, 1789

La citazione
Bisogna imparare a riconoscere e a rispettare negli altri animali i sentimenti che vibrano in noi stessi.

John Oswald, 1791

E nel 1789 il suo discorso venne ripreso da **Jeremy Bentham**, un filosofo inglese "utilitarista", che, nel suo libro *Introduzione ai principi della morale e della legge*, scrisse sulla necessità di considerare allo stesso modo gli interessi degli umani e quelli dei non umani, perché identica è la loro sensibilità, ossia la capacità di provare piacere e dolore.

Libertà, uguaglianza, fraternità
Nel 1789, quando la Rivoluzione francese fece intravedere agli uomini la possibilità di costruire un mondo nuovo, anche per gli animali si aprirono nuove speranze di "libertà, uguaglianza e fraternità", come dimostra un libro uscito in Inghilterra nel 1791: *Il grido della natura, ovvero un appello per la misericordia e la giustizia in favore degli animali perseguitati*, di **John Oswald**, uno scrittore che però era anche soldato e aveva stretto amicizia con Tom Paine, uno degli eroi della Rivoluzione americana.

Oswald si definiva "cittadino della repubblica rivoluzionaria", aderiva agli ideali della Rivoluzione francese e si augurava che «il crescente sentimento di pace e di buona volontà verso gli uomini» finisse per comprendere ogni creatura vivente. Per lui, ogni uccisione era un delitto contro la Natura e bisognava quindi seguire un'alimentazione vegetariana ma anche rinunciare alla barbarie della vivisezione.

Donne e bestie

Nel 1792, a Londra, fu pubblicato un libretto intitolato *A Vindication of the Rights of Brutes* (Una rivendicazione dei diritti dei bruti), il cui autore era il filosofo Thomas Taylor, deciso a mettere in ridicolo le tesi della femminista Mary Wollstonecraft, che in quello stesso anno aveva scritto un libro per reclamare identici diritti per uomini e donne. Se creature prive di razionalità come le donne, scriveva Taylor, chiedono di avere dei diritti, anche gli animali potrebbero avanzare le stesse pretese...

La citazione

Tratta l'animale che è in tuo potere come tu vorresti essere trattato se fossi quell'animale.

George Nicholson, 1797

Un altro libro importante fu *La condotta dell'uomo verso gli animali inferiori* (1797) di **George Nicholson**, che combatteva sia per l'emancipazione delle donne che per un migliore trattamento degli animali ed era anche lui un sostenitore della rinuncia a mangiare carne per motivi morali: se si è crudeli verso gli animali non umani, diceva Nicholson, lo si sarà probabilmente anche verso i propri simili.

E dello stesso parere era anche **John Lawrence**, che nel 1798 pubblicò un *Trattato filosofico sui cavalli e sui dubbi morali dell'uomo nei confronti dei bruti*. Lawrence era un gentiluomo di campagna, ma anche un letterato, e per lui la questione centrale era quella della giustizia tra le specie: l'ingiustizia, diceva, non è tanto servirsi degli animali, quanto servirsene maltrattandoli. E fu proprio Lawrence a suggerire, nelle sue ultime opere, la necessità di un'etica che «definisce e insegna il trattamento morale degli animali».
Possiamo, insomma, considerarlo un precursore della moderna **etica della biocultura**, che si occupa dei problemi morali relativi alla gestione e allo sfruttamento dei non umani da parte dell'uomo.

La citazione
Non è generata una bestia nello stesso modo in cui noi lo siamo? Non è il suo corpo nutrito dallo stesso cibo, ferito dagli stessi colpi; non è la sua mente agitata dalle stesse passioni?

John Lawrence, 1798

ESSERI SUPERIORI

SONO SUPERIORE ALLE DONNE...
...CHE SONO FATTE PER STARE A CASA A CUCINARE.

SONO SUPERIORE AGLI SCHIAVI...

...CHE SONO FATTI PER SERVIRMI E LAVORARE.

SONO SUPERIORE AGLI ANIMALI...

...CHE SONO FATTI PER LAVORARE ED ESSERE MANGIATI.

NON È COLPA MIA SE LE COSE STANNO COSÌ.
IO CI SONO NATO, SUPERIORE!
CIAO!
POLIFEMO!

Capitolo 3

I diritti degli animali

Fu nel 1892 che apparve uno dei testi su cui si fonda il moderno animalismo: *I diritti degli animali in relazione al progresso sociale*, in cui si dà una impostazione nuova e rivoluzionaria al problema dei rapporti uomo/animale. L'autore era **Henry Salt**, un filosofo inglese amico di Gandhi e fondatore della Lega Umanitaria, impegnato a favore della riforma delle carceri, del voto alle donne, dell'abolizione della pena di morte e anche di quelli che da allora in poi verranno chiamati **diritti degli animali**.

La citazione

In un'epoca in cui l'umanità si vede sempre piú minacciata nelle sue stesse elementari possibilità di sopravvivenza (la fame, la morte atomica, l'inquinamento) la nostra radicale fratellanza con gli animali si presenta in una luce piú immediata ed evidente.

Gianni Vattimo, 1987

Secondo Salt, gli animali hanno il diritto di vivere una vita libera e “naturale”, anche se entro i limiti imposti dall’interesse di tutta la comunità; la loro situazione è paragonabile a quella degli schiavi, e c’è una connessione precisa tra progresso sociale e affermazione dei diritti dei non umani: l’idea di umanità, infatti, non può limitarsi soltanto all’uomo, ma deve allargarsi a tutti quegli esseri «la cui sola colpa è di non appartenere alla nobile famiglia dell’*Homo sapiens*». Anche se non possiedono la ragione e non sanno parlare, per Salt gli animali hanno comunque dei diritti perché dotati di sensibilità, esattamente come sosteneva, oltre un secolo prima, Jeremy Bentham.

La prima legge

Nel 1822 il deputato inglese Richard Martin presentò un progetto di legge che puniva la crudeltà contro gli animali. A tracciarne le linee fondamentali era stato John Lawrence.

Oltre che nel pensiero di Salt, incredibilmente moderno e attuale, il moderno animalismo ha trovato un punto di riferimento anche nell'etologia, una scienza nata all'incirca a metà degli anni '30 per merito dei naturalisti **Lorenz**, **von Frisch** e **Tinbergen**, che, studiando il significato del comportamento e della comunicazione animale, ha messo in luce una forte affinità tra umani e non umani.

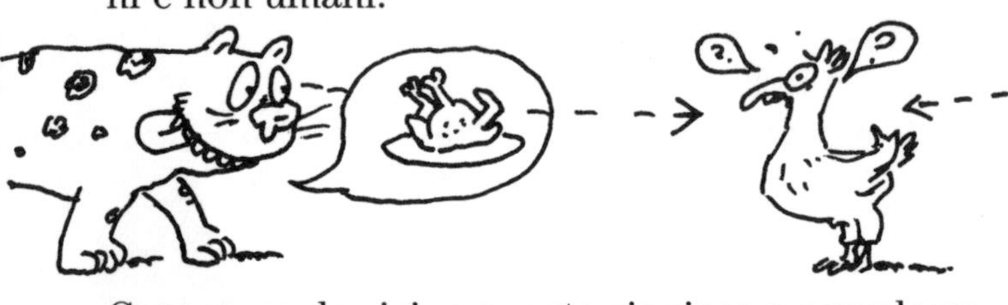

Conoscere da vicino quanto sia ricca e complessa la vita animale ha reso ancora piú difficile considerare i non umani degli oggetti, piuttosto che creature senzienti, e tutto ciò ha contribuito a una sempre piú ampia presa di coscienza della necessità di rivedere radicalmente l'atteggiamento tradizionale dell'uomo nei confronti delle altre specie. E l'accresciuta sensibilità nei confronti dell'ambiente ha fatto il resto: la grande lezione dell'ecologia, infatti, è che la sopravvivenza della nostra specie è legata a quella di tutte le altre.

Si è cosí avviata una riflessione, che, cominciata negli anni '60, è diventata via via piú ampia, a mano a mano che i progressi della medicina e della biologia e i radicali cambiamenti nell'industria dell'allevamento mettevano sul tappeto altre scottanti questioni.

Se il nonno è una scimmia
Pubblicato nel 1859, *Sull'origine della specie* del naturalista Charles Darwin formulò una nuova teoria secondo la quale le specie animali sono capaci, per via della selezione naturale, di mutare e di evolversi. Anche l'essere umano è nato da un processo evolutivo di questo genere, e quindi non solo è un animale tra i tanti, ma la sua presunta superiorità è frutto del caso.

Le tesi evoluzioniste di Darwin furono accolte con grande favore dagli animalisti, perché rafforzavano l'idea che non è lecito maltrattare gli animali, nostri antenati e in certo senso anche nostri "creatori".

Animali come persone
Uno dei piú famosi animalisti contemporanei è il filosofo australiano **Peter Singer**, autore di *Liberazione animale* (1976), in cui si delinea un mondo dove gli animali non umani non sono piú discriminati, soggetti a pregiudizi, maltrattati e sfruttati.
Per Singer c'è una forte analogia tra razzismo, sessismo e specismo, tre forme di discriminazione gravissime, e sostiene la necessità che, dopo la liberazione degli schiavi e quella delle donne, sorga anche un movimento per la liberazione de-

gli animali dalla tirannia umana, che «ha causato e sta ancora causando una somma di pene e di sofferenze paragonabili solo a quelle prodotte da secoli di tirannia esercitata dai bianchi sui neri». Il principio di uguaglianza va quindi applicato anche agli animali, non nel senso che questi ultimi debbano essere considerati uguali agli uomini, ma nel senso di valutare equamente gli interessi di specie diverse. E questo impone di fare delle scelte di vita che hanno immediate conseguenze pratiche: non si può essere animalisti e non fare caso a quel che si mangia, a cosa ci si mette addosso, a quali medicine si usano, a quali oggetti si comprano, se il nostro semplice atto comporta sofferenza per un qualunque animale dotato di un sistema nervoso in grado di provare dolore.

Tom Regan, americano, va ancora piú in là e nel suo libro *I diritti animali* (1983) rivendica per gli animali la qualifica di "persone" cui spettano alcuni diritti fondamentali (morali, naturalmente, non legali), e scrive che «tutti gli argomenti utilizzabili a sostegno dell'affermazione per cui tutti gli esseri umani possiedono un diritto naturale alla vita, possono essere utilizzati per dimostrare che anche gli animali lo possiedono».

Tra la posizione di Singer e quella di Regan ce n'è una terza, quella di **Mary Midgley**, autrice di un libro interessantissimo, *Perché gli animali. Per una visione piú umana dei nostri rapporti con le altre specie* (1984). Secondo la studiosa inglese un conflitto tra umano e non umano (insomma un conflitto tra specie) è inevitabile: se l'uomo accorda una preferenza alla propria specie, lo fa per ragioni biologiche, perché «tutti gli animali sociali si rivolgono in modo privilegiato ai loro conspecifici».

Quello che bisogna evitare è di ritenersi l'unica specie privilegiata, in diritto di distruggere o maltrattare le altre. Non è quindi il caso di parlare di "diritti degli animali", ma di sentirsi piuttosto responsabili di essi, e anche dell'ambiente, come se l'uomo fosse una specie di "amministratore" della natura, tenuto ad essere saggio e oculato.

La citazione
Quale che sia la natura dell'essere, il principio di uguaglianza richiede che la sua sofferenza sia valutata quanto l'analoga sofferenza di un altro essere.

Peter Singer, 1976

Come si vede, le posizioni sono molto diverse: da una parte si parla di diritti e di eguaglianza, per rendere i non umani in qualche modo membri della comunità umana; dall'altra si sostiene che, anche se gli animali non sono persone e se la preferenza per la propria specie non significa necessariamente discriminazione verso le altre, bisogna comunque realizzare un antropocentrismo illuminato, "umano", non assoluto, perché l'uomo è il custode e non il padrone della natura. In un caso e nell'altro, è evidente la forte esigenza di maggiore equità e giustizia nei confronti dei non umani, che sta cominciando ad avere conseguenze pratiche ben precise, come la promulgazione di nuove leggi, ma anche il cambiamento di abitudini, consumi e usanze.

La citazione

Inevitabilmente, un interesse sociale generalizzato per la giustizia e per l'equità e un'enfasi sugli obblighi, piuttosto che su una condiscendente benevolenza nei confronti degli oppressi e di coloro che sono privi di potere, devono certo aver condotto a una nuova visione sociale del trattamento degli animali.

Bernard Rollin, 1993

Animalisti guerriglieri
Sull'onda della nuova sensibilità animalista sono nate in tutto il mondo associazioni e organizzazioni di vario genere, che promuovono azioni in favore degli animali non umani. Non si tratta delle associazioni zoofile per la protezione o la cura degli animali (che, specialmente in Inghilterra e negli Stati Uniti, hanno una discreta tradizione ed esistono sin dal diciannovesimo secolo), ma di veri e propri movimenti politici decisi a ottenere nuove leggi e a promuovere campagne di opinione.

Il piú combattivo ed estremista è senz'altro l'*Animal Liberation Front*, ossia il Fronte di Liberazione degli Animali, che ha diramazioni in tutti i paesi occidentali e che non rifiuta il ricorso alla violenza, al punto da compiere attentati, sabotaggi oppure incursioni per rimettere in libertà gli animali da pelliccia rinchiusi negli allevamenti.

Verso una giustizia tra le specie

Una domanda che si sente spesso fare, a proposito di allargamento della sfera morale agli animali non umani, è: che criteri bisogna seguire e come bisogna comportarsi, nel caso che gli interessi degli uomini e degli animali siano in contrasto? La risposta non animalista nasce da una logica che potremmo chiamare da "scialuppa di salvataggio", ed è piuttosto semplice e brutale: se sulla "barca" c'è posto per un solo "naufrago", la vita da sacrificare è quella di minor valore, cioè quella dell'animale.

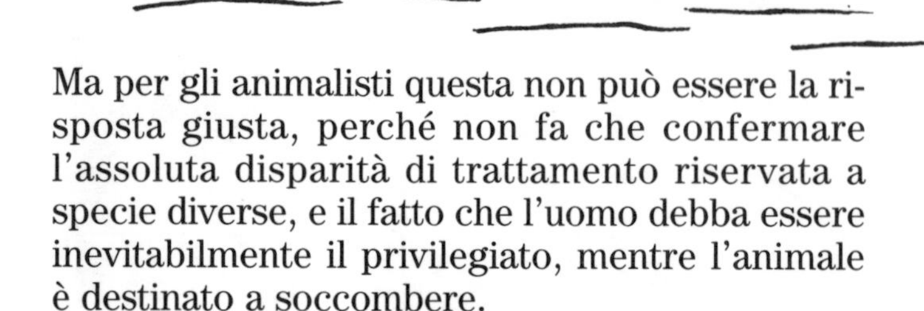

Ma per gli animalisti questa non può essere la risposta giusta, perché non fa che confermare l'assoluta disparità di trattamento riservata a specie diverse, e il fatto che l'uomo debba essere inevitabilmente il privilegiato, mentre l'animale è destinato a soccombere.

Un buon tentativo di trovare una soluzione al problema lo dobbiamo all'americano **Paul Taylor**, che ha formulato i cinque principi base della **giustizia interspecifica**, in modo da fornirci degli orientamenti da seguire quando diritti e valori umani entrano in conflitto con gli interessi dei non umani.

1. Il **principio di autodifesa** afferma che è lecito, sia per gli animali che per gli uomini, reagire alle aggressioni e difendersi in caso di minaccia alla propria incolumità. Gli uni e gli altri, perciò, in questo caso possono legittimamente arrivare sino all'eliminazione dell'avversario.

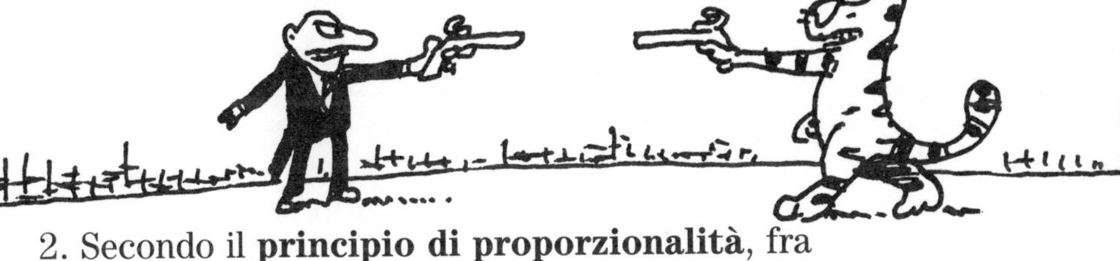

2. Secondo il **principio di proporzionalità**, fra gli interessi in competizione quelli fondamentali prevalgono rispetto a quelli non fondamentali, indipendentemente dalla specie di appartenenza. Per esempio: tra l'interesse non fondamentale di un cacciatore che vuole un trofeo da appendere alla parte, e quello fondamentale dell'animale che preferisce continuare a vivere invece di finire impagliato, è il secondo a prevalere.

3. Il **principio del minimo danno** dice che, se gli interessi umani danneggiano quelli animali ma sono cosí importanti da dover essere realizzati comunque, bisogna che infliggano il minor danno possibile agli animali e all'ambiente. Questo significa, dice Taylor, che dobbiamo interrogarci attentamente sul modo di ridurre al minimo la sofferenza che infliggeremo ad altre creature, per esempio adottando tecnologie piú pulite, rinunciando a certi consumi, e cosí via.

4. Il **principio della giustizia distributiva** interviene quando gli altri non sono applicabili. Mettiamo il caso che gli interessi di uomini e animali siano entrambi fondamentali e abbiano pari importanza: in questo caso non bisogna automaticamente dare la precedenza a quelli umani, ma valutare equamente caso per caso. A far pendere la bilancia da una parte o dall'altra sarà anche la maggiore o minore coincidenza tra gli interessi fondamentali di una specie e quelli di tutto il pianeta, che la comunità degli esseri viventi deve conservare il piú possibile integro per il bene collettivo.

5. Il **principio di giustizia restitutiva** dice che, quando è indispensabile arrecare un grave danno a un'altra specie, bisogna cercare di "risarcirla" almeno in parte. L'uomo, quindi, per poter fare il proprio interesse deve pagare una specie di "pedaggio" alla natura offesa.

Taylor, insomma, suggerisce all'uomo di esercitare il suo potere sugli altri esseri viventi con grande discrezione, dandosi delle regole e valutando sempre motivazioni e conseguenze. L'interesse umano non può giustificare qualunque azione: bisogna sempre preoccuparsi di quali sacrifici comporterà per i non umani, nei confronti dei quali abbiamo comunque dei vincoli morali.

Un atteggiamento del genere pone dei limiti all'azione dell'uomo, dandogli la responsabilità di trattare giustamente anche coloro che non hanno gli strumenti per chiedere giustizia e rafforzando la solidarietà verso le altre specie, il cui destino è legato al nostro. Allo stesso tempo, però, lo spinge a pensare altri modelli di sviluppo, altri stili di vita, che potrebbero essere vantaggiosi anche e soprattutto per lui.

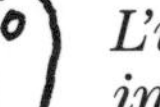

SONO AFFEZIONATO ALLA LOTTA PER LA SOPRAVVIVENZA.

La citazione
L'idea stessa di giustizia interspecifica prende corpo dal progetto di sostituire alla lotta per la sopravvivenza le regole di un ordine morale definito da principi razionali. Bisogna mirare a un ordine del mondo in cui la civiltà umana sia posta in armonia con la natura.

Paul Taylor, 1986

I PRINCIPI dei DIRITTI
È BELLO ANDARE A CACCIA.
SÌ È BELLO CAMMINARE NELLA NATURA
E ANCHE ACCHIAPPARE QUALCOSA.
COME...
QUESTO ANIMALETTO!

ORA TI UCCIDIAMO E POI FORSE TI MANGIAMO. HAI UN ULTIMO DESIDERIO?
VERAMENTE HO DEI DIRITTI CHE SI BASANO SU DEI PRINCIPI.
IL PRINCIPIO DI AUTODIFESA, QUELLO DI PROPORZIONALITÁ, QUELLO DEL MINIMO DANNO, QUELLI DELLA GIUSTIZIA DISTRI BUTIVA E RESTITUTIVA E...
MA COS'È QUESTO QUI, UN ANIMALISTA?
UN UMANISTA DIREI!

Capitolo 4

L'animale macchina

Buona parte di ciò che mangiamo è di origine animale: carne, latte e latticini, uova, grassi... E tutti questi alimenti compaiono nei mercati e poi in tavola senza che nessuno di noi (o quasi) abbia una reale percezione della loro provenienza: il corpo dell'animale, infatti, viene cosí accuratamente sezionato, scomposto e manipolato che è impossibile collegare un hamburger o una salsiccia alla creatura da cui sono stati ricavati.

E lo stesso vale anche per latte e uova: quanti bambini hanno visto una gallina o una mucca, se non nelle pubblicità televisive?

Tuttavia, ogni anno, centinaia di milioni di animali vengono allevati e uccisi proprio per nutrire l'uomo, con metodi ormai molto differenti da quelli del passato, che prevedevano la possibilità, per le creature non umane, di una vita relativamente "naturale".

L'agricoltura e l'allevamento sono ormai diventati un'industria dove l'animale è una macchina inserita in una vera e propria catena di montaggio, cosí da accrescere enormemente la produzione.

Purtroppo le condizioni di vita in queste immense "fabbriche" di carne, latte e uova sono tali da procurare immense sofferenze agli animali (mucche, vitelli, maiali, polli, conigli, fagiani, pesci d'acqua dolce), costretti a vivere al chiuso, senza alcun contatto con la terra, senza potersi muovere normalmente – e soffrendo, di conseguenza, di distrofie muscolari e malattie delle ossa – nutrendosi di mangimi industriali e assorbendo forti dosi di ormoni e antibiotici che dovrebbero favorire una crescita rapida e mantenerli sani, e che ovviamente vanno a finire nel piatto del consumatore o nel suo bicchiere di latte. Vediamo in che condizioni vengono allevate le piú comuni specie di animali utili all'alimentazione umana.

• *Bovini*

I vitelli vengono subito separati dalla madre produttrice di latte (con grande sofferenza di entrambi) e chiusi in minuscoli box dove non possono né muoversi né sdraiarsi, e dove resteranno sino ai sei mesi, quando saranno macellati. Vengono poi alimentati con un liquido a base di latte, in modo che la carne rimanga bianca e delicata come desidera il consumatore: una cosa del tutto innaturale, visto che in natura verrebbero svezzati molto prima. Le mucche da latte spesso non escono mai all'aperto e sono tenute alla catena per tutta la loro vita, tanto che l'immobilità causa osteoporosi e altre malattie delle ossa. Appena non sono piú in grado di produrre latte in grande quantità vengono uccise.

Né i vitelli né le loro madri hanno rapporti sociali con i loro simili.

• *Suini*

I maiali, animali molto socievoli e di grande intelligenza, sono stati geneticamente selezionati per diventare dei colossi e vengono costretti a vivere in gabbie estremamente anguste, dove non hanno neppure lo spazio per girarsi e devono giacere nei loro escrementi (mentre in natura sono piuttosto puliti). La mancanza di relazioni sociali provoca gravi sofferenze e stress, e gli animali manifestano il loro disagio in molti modi: per esempio azzannando la coda del vicino di gabbia. Per ovviare a questo inconveniente si usa amputare la coda ai maialini appena nati. Le enormi dimensioni delle madri provocano spesso la morte per soffocamento dei piccoli.

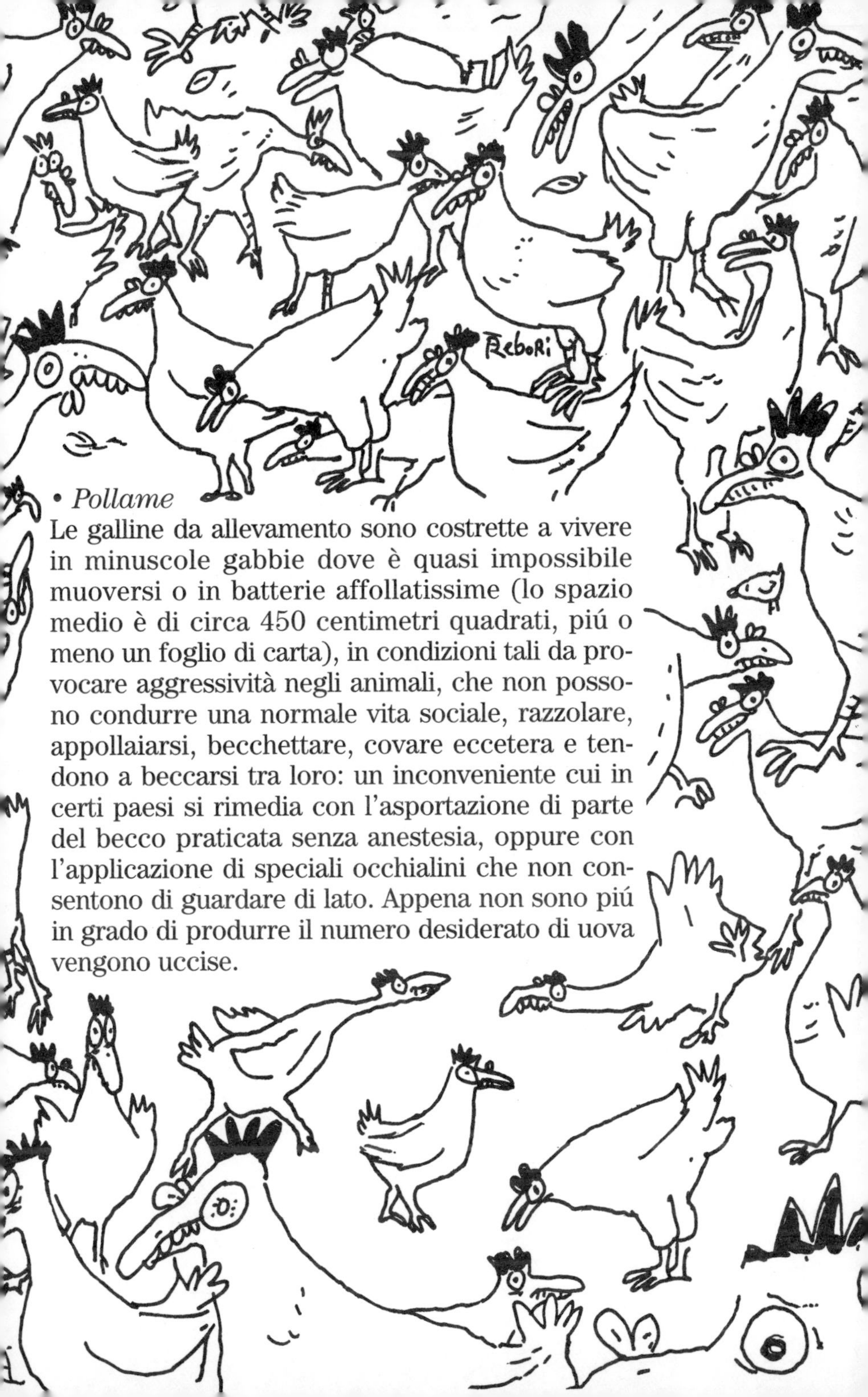

• *Pollame*

Le galline da allevamento sono costrette a vivere in minuscole gabbie dove è quasi impossibile muoversi o in batterie affollatissime (lo spazio medio è di circa 450 centimetri quadrati, piú o meno un foglio di carta), in condizioni tali da provocare aggressività negli animali, che non possono condurre una normale vita sociale, razzolare, appollaiarsi, becchettare, covare eccetera e tendono a beccarsi tra loro: un inconveniente cui in certi paesi si rimedia con l'asportazione di parte del becco praticata senza anestesia, oppure con l'applicazione di speciali occhialini che non consentono di guardare di lato. Appena non sono piú in grado di produrre il numero desiderato di uova vengono uccise.

La citazione
Le vittime dei carnivori umani sono nutrite, allevate, predestinate sin dall'inizio alla finale macellazione, cosí che il loro intero modo di vita è programmato a tal fine, è alterato dal suo standard naturale ed esse non sono piú nient'altro che carne animata.

Henry Salt, 1892

Un assurdo economico
Esiste un campo di studi chiamato "economia del vegetarianesimo", secondo il quale una drastica riduzione del bestiame da allevamento metterebbe alla portata di tutti una giusta quantità di proteine vegetali, integrate da una piccola quota di proteine animali. Nutrire gli uomini e non gli animali, insomma: ecco il motto di questi nuovi economisti, convinti che «mangiare carne è un assurdo economico».

Mucche pazze

Tutti hanno sentito parlare della "mucca pazza", ossia della epidemia di encefalopatia spongiforme bovina che si è diffusa dall'Inghilterra nel resto dell'Europa. La malattia, gravissima e sempre di esito mortale, può attaccare anche l'uomo che abbia mangiato carne infetta, ed è stata provocata, pare, dal fatto che i bovini, erbivori, sono stati costretti a diventare carnivori, ossia a nutrirsi con mangimi preparati con farine ricavate da carni di pecore malate. Questa è una delle piú gravi conseguenze delle forzature cui l'allevamento costringe gli "animali tecnologici".

Le cinque libertà

È evidente che le esigenze fisiologiche, sociali, comportamentali degli animali non umani sono completamente ignorate e gravemente contrastate dall'organizzazione dei moderni allevamenti industriali.

È vero che essi nascono e crescono in questi allevamenti e che perciò in tutta la loro vita non conoscono altro, ma è una macroscopica bugia dire che non soffrono della loro condizione di vita perché "ci sono abituati" e con il tempo si sono adattati.

Tutti i bisogni e i comportamenti istintivi, infatti, continuano ad esistere, anche se nessuno di questi animali ha mai vissuto nel modo "naturale" che è proprio della sua specie.
La cosa non è confermata solo da zoologi ed etologi, ma anche da una commissione di inchiesta istituita dal governo inglese, presieduta dallo zoologo Brambell, che nel 1965 presentò un importante rapporto sulle condizioni degli animali da allevamento.
Ed è nel *Rapporto Brambell* che si fissano le "cinque libertà" dovute a questi animali: «un animale dovrebbe avere almeno libertà di movimento sufficiente per potersi voltare, pulire, alzare, sdraiare e stendere gli arti».

Un'altra definizione delle "cinque libertà" l'ha data nel 1994 l'Associazione Mondiale dei Veterinari:

- libertà dalla fame e dalla sete;
- libertà dal disagio fisico e dal dolore;
- libertà dalle ferite e dalle malattie;
- libertà dalla paura e dallo stress;
- libertà di seguire i propri modelli di comportamento fondamentali.

La citazione
La caratteristica degli umani, che li qualifica titolari di un diritto a non essere torturati, è una caratteristica posseduta anche dagli animali. Pertanto, ritengo che se gli animali umani hanno diritto a non essere torturati, ciò vale anche per gli animali non umani.

James Rachels, 1990

Ma non si può certo dire che nella maggior parte degli allevamenti, in tutte i paesi del mondo, questi bisogni basilari siano garantiti.
E le cose peggiorano quando gli animali vengono trasportati nei luoghi di macellazione o esportati (vivi) in altri paesi: le sofferenze legate al trasporto sono tali che a volte ne parla perfino la cronaca, abitualmente poco sensibile alle sofferenze di altre specie. Durante i trasporti, effettuati in condizioni di sovraffollamento e di grave disagio, molti animali muoiono per il troppo freddo o il troppo caldo, per la sete, per le ferite riportate, per la paura.

Una volta arrivati al macello, poi, animali grossi e pesanti come le mucche o i maiali (e che non hanno nessun desiderio di morire, esattamente come un essere umano, se fosse al loro posto) devono venir convogliati nel luogo dove migliaia e migliaia di loro simili sono già morti, tra sangue ed escrementi.
La morte, anche se allevatori e macellatori sostengono il contrario, non è mai indolore, e la paura, la sofferenza che un animale prova in un macello sono comunque spaventose.

Si cambia sistema

A partire dal 1993 la Comunità Europea concede finanziamenti ad allevamenti condotti con criteri diversi da quelli industriali, che mettono a disposizione degli animali terra e spazio, invece di tenerli chiusi nei capannoni. È particolarmente favorito l'allevamento di razze locali. Inoltre le campagne degli animalisti hanno ottenuto dall'Unione Europea l'abolizione, a partire dal dicembre del 2006, dell'allevamento dei vitelli in minuscoli box. Tutti i nuovi allevamenti, però, dovranno possedere questa caratteristica già dal 1998.

La citazione

Supponiamo pure che gli animali allevati intensivamente non sappiano quello che perdono; ciò non dimostra che le condizioni in cui vivono non li danneggiano. Al contrario, la non conoscenza di altri modi di vivere fa parte del danno arrecato loro dall'allevamento di tipo industriale.

Tom Regan, 1983

Denunciare gli abusi

Una legge italiana (n. 623 del 14 ottobre 1985) raccoglie e rende esecutive le norme della Comunità Europea in fatto di protezione degli animali che vivono negli allevamenti, dalle galline, ai vitelli, ai suini, e altre leggi regolamentano il loro trasporto e la macellazione.

Procurarsi il testo di tutte queste leggi non è difficile e, se si constata che vengono violate, si può fare una denuncia alla Procura, presso la Pretura del tribunale competente, descrivendo brevemente e con chiarezza i fatti e aggiungendo i propri dati anagrafici completi (nome, indirizzo, data di nascita ecc.). Se bisogna intervenire d'urgenza, meglio rivolgersi alla polizia e ai carabinieri.

Carne? No, grazie

Non mangiare carne è una scelta indispensabile per un animalista: come si fa a preoccuparsi per la sorte degli animali e per la loro sofferenza, e poi a mangiarseli tranquillamente, sapendo quale terribile percorso li ha portati a diventare l'arrosto o la cotoletta che ci vengono serviti in tavola?

Rifiutare di consumare carne e pesce, inoltre, significa contribuire nel nostro piccolo a una diminuzione del consumo di carne e, di conseguenza, a una diminuzione delle sofferenze degli animali. Ma anche se questi animali venissero trattati bene per tutto il corso della loro vita, dice Tom Regan, non sarebbe comunque il caso di mangiarli, perché non è giusto che individui senzienti siano trattati come pure e semplici merci, come risorse rinnovabili all'infinito. Gli animali hanno un diritto fondamentale, che è quello alla vita, e non dobbiamo ucciderli comunque.

Bisogna poi ricordare che i quattro quinti delle terre coltivate in tutto il mondo vengono usati per produrre cibo per gli animali, e solo un quinto per nutrire direttamente gli esseri umani. C'è chi sostiene, perciò, che se si coltivassero legumi ricchi di proteine e cereali destinati agli uomini, la convenienza economica sarebbe notevole. Senza contare che gli allevamenti inquinano il terreno e le acque, richiedono un notevole impiego di energia, e provocano la distruzione di enormi aree di foresta o l'abbandono di grandi estensioni di terre coltivate. Gli animali da allevamento sono ormai numerosi quanto gli uomini, e questa esplosione demografica potrebbe avere dei costi economici ed ecologici altissimi.

Una diminuzione del consumo di carne potrebbe quindi significare: migliori condizioni di vita per gli animali, minore degrado ambientale, cibo piú a buon mercato per gli uomini.

La citazione

Coloro che ancora mangiano carne quando potrebbero fare altrimenti non possono pretendere di essere veri moralisti.

Stephen Clarck, 1984

Vegetariani e vegetaliani

Ma se si eliminano carne e pesce, che cosa si mangia?

La risposta è nel **vegetarianesimo** o **vegetarismo**, un tipo di alimentazione che alle proteine della carne e del pesce sostituisce quelle dei legumi, delle uova, del latte e dei latticini, e che non comporta nessun problema per la salute.

Esistono, però, anche i **vegetaliani** o **vegani,** che non mangiano nessun alimento di origine animale perché anche le uova e il latte vengono dagli allevamenti e sono ottenuti a prezzo di gravi sofferenze per gli animali, ma questa dieta è alquanto squilibrata e andrebbe studiata insieme a un medico per evitare danni all'organismo, specialmente nel periodo della crescita.

Chi non si sente di fare una scelta radicale come quella di eliminare completamente carne e pesce, può almeno decidere di evitare certi consumi: per esempio quello della carne di vitello, visto che questi animali vivono in condizioni di assoluta sofferenza solo per consentire agli uomini di mangiare "carne bianca" di scarsissimo valore nutritivo.

La citazione

Diventare vegetariano non è meramente un gesto simbolico. Non è neanche il tentativo di isolarsi dalle sgradevoli realtà del mondo, di mantenersi puro e senza responsabilità per la crudeltà e per la carneficina che ci circondano. Diventare vegetariano è il passo piú concreto ed efficace che si può compiere per porre fine tanto all'inflizione di sofferenza agli animali non umani, quanto alla loro uccisione.

Peter Singer, 1976

C'è anche chi rifiuta di mangiare la carne, ma mangia il pesce, che, se non è di allevamento, fino al momento in cui è stato catturato dalle reti o dagli arpioni ha fatto almeno una vita libera e naturale.

C'è chi compra solo uova di galline ruspanti, allevate a contatto con la terra e non in gabbia o nei capannoni, e chi si assicura, prima di comperare la carne, che venga da allevamenti in cui gli animali sono liberi di pascolare all'aperto e di condurre una vita il piú possibile normale.

Le alternative, insomma, sono tante. L'importante è fare comunque qualcosa e farlo subito, secondo le proprie possibilità, perché anche le piccole scelte personali possono contribuire a cambiare le cose, oltre a rappresentare una *assunzione di responsabilità* moralmente doverosa.

La citazione
È il non vegetariano che deve dimostrarci come giustifica il suo mangiar carne, sapendo che è stato necessario uccidere un animale perché egli possa farlo, è il non vegetariano che deve fornirci la prova che il suo modo di vita non contribuisce in modo sostanziale a delle pratiche che ignorano sistematicamente il diritto alla vita degli animali.

Tom Regan, 1983

Niente cadaveri
Nel 1874, a Londra venne fondata la *Vegetarian Society*, secondo la quale vegetariano è "colui che non si nutre del corpo di animali uccisi".

CHI CI MANGIAMO OGGI?
3X 2
CHE CI MANGIAMO OGGI?
NON SO...
CI SONO I BAMBINI DA LATTE...
TROPPO SCOMODI DA PULIRE!
BAMBINI DA LATTE
PRENDIAMO UN COSCIOTTO DI PORTINAIA?
NO NO.

LE BISTECCHE DI CALCIATORE?
NO. SONO SEMPRE TROPPO DURE
PROVIAMO LA LINGUA DI GIORNALISTA!
MA SÌ, PER CAMBIARE UN PO'...
AL KG
ZAMPON DI SEGRETARIA
AL KG
A VOLTE PENSO A COME SONO ALLEVATI QUESTI POVERI UMANI DA MACELLO E MI SENTO UN PO' IN COLPA.
A VOLTE ANCH'IO, MA LA CARNE È COSÌ BUONA...
GIÀ...
Rebori

Capitolo 5

Vivisezione oppure no

La **vivisezione** è, alla lettera, la dissezione di un corpo vivente, compiuta per uno scopo non terapeutico, ma anche tutti gli esperimenti dolorosi compiuti (non a loro vantaggio) sugli animali.

Milioni e milioni di non umani appartenenti a specie diverse (topi, cavie, ratti, cani, gatti, scimmie eccetera) soffrono e muoiono ogni anno per quelle che vengono considerate esigenze scientifiche irrinunciabili.

Si sostiene, infatti, che simili esperimenti contribuiscono in maniera determinante a far progredire la ricerca, e che gli interessi degli animali, perciò, in questo caso devono passare in secondo piano.

Cosí i non umani vengono atrocemente torturati per sperimentare gli effetti di tutte le possibili sostanze tossiche; per stabilire l'eventuale pericolosità di sostanze presenti nei medicinali, nei cosmetici, nei detersivi, nei conservanti, nei fertilizzanti e in innumerevoli prodotti di vario genere; per provare nuove tecniche chirurgiche; per studiare l'evoluzione di virus o di cellule cancerogene...

In pratica gli animali non umani, proprio perché molto simili a quelli umani, fanno da schermo tra noi e tutto ciò che potrebbe farci male, e il loro impiego in questa direzione è enormemente cresciuto negli ultimi decenni.

Di solito chiunque si azzardi a criticare questo genere di sperimentazione viene messo a tacere in nome di un fine superiore, qual è quello di salvare le vite o di salvaguardare la salute degli esseri umani; ma l'animalista non può fare a meno di porre due problemi fondamentali:

- qual è il limite della sperimentazione sugli animali?
- fino a che punto il ricercatore ha diritto di disporre della vita e della sofferenza dei non umani?

Una volta dato per scontato che gli animali sono come noi capaci di soffrire, non si può continuare a trattarli come semplici strumenti per la ricerca. E se riconosciamo l'esistenza di interessi animali (uno dei quali è quello di evitare la sofferenza), non possiamo non tenerne conto, cercando almeno di distinguere tra esperimenti assolutamente necessari ed esperimenti evitabili o di routine.
La sperimentazione (che, nessuno potrebbe negarlo, è una autentica e raccapricciante galleria degli orrori) dev'essere quindi fortemente giustificata, severamente regolamentata e prevedere anche l'impiego di altri sistemi ogni volta che sia possibile.

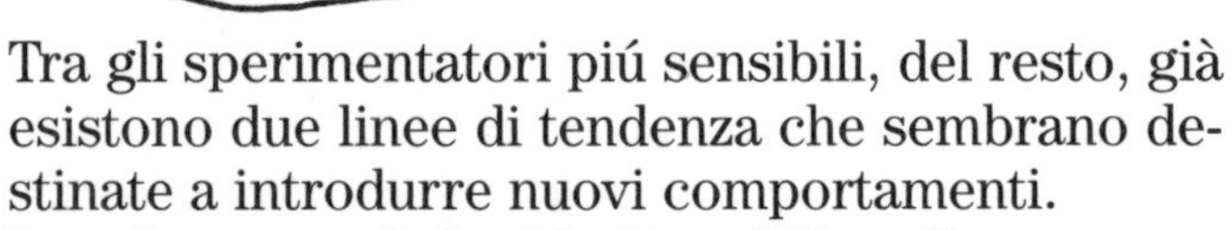

Tra gli sperimentatori piú sensibili, del resto, già esistono due linee di tendenza che sembrano destinate a introdurre nuovi comportamenti.
La prima prevede la riduzione della sofferenza grazie a un minore uso degli animali, alla sostituzione di essi con modelli sperimentali, al tentativo di limitare il dolore utilizzando tecniche piú sofisticate.

La citazione
Tutto ciò che occorre dire è che la sperimentazione che non serve a nessuno scopo diretto e urgente dovrebbe cessare subito, e che nelle restanti aree di ricerca dobbiamo, non appena possibile, cercare di sostituire gli esperimenti che utilizzano animali, con metodi alternativi che non lo fanno.
Peter Singer, 1976

La seconda è quella della decisa opposizione, da parte di gruppi di ricercatori che si proclamano obiettori di coscienza, a tutti gli esperimenti sugli animali, rivendicando il diritto di compiere ricerca con altri strumenti.

Crudeli ma non troppo

Esiste una legge abbastanza recente sulla vivisezione, che rende operativa la Direttiva CEE n. 609 del 1986.
La legge proibisce di servirsi di animali randagi (un tempo era una pratica comune quella di catturare cani e gatti per poi rivenderli ai laboratori); bisogna utilizzare solo animali provenienti da appositi allevamenti, ognuno dei quali porta un contrassegno. Inoltre è proibito l'uso di animali con le corde vocali tagliate, e per scimmie, cani e gatti è previsto un trattamento diverso da quello di conigli, cavie, ratti e topi. Il benessere e l'igiene degli animali in gabbia sono piú o meno tutelati, e viene richiesto agli sperimentatori di giustificare il motivo per cui usano creature viventi piuttosto che metodi alternativi. È prevista anche la possibilità di fare obiezione di coscienza.

Si possono avere informazioni, consigli legali sui casi di sperimentazione umana e animale, sui danni da farmaci, su prodotti alternativi non testati su animali, sul diritto all'obiezione di coscienza alla vivisezione nei luoghi di studio e di lavoro telefonando al Comitato Scientifico Antivivisezionista - 06/39742152 - cui aderiscono medici, scienziati e ricercatori. La CEE ha creato un apposito Istituto, il CEVMA - Centro Europeo per la Validazione dei Metodi Alternativi a Ispra. L'Istituto Superiore di Sanità e il CNR ospitano laboratori di ricerca senza animali.

Gli animali transgenici

Anche le conseguenze dell'**ingegneria genetica** (cioè di quelle sofisticate tecniche mediche che intervengono sul patrimonio genetico degli animali, umani e non) sono al centro di un dibattito molto vivace.

Alcuni, per esempio, sostengono che gli interventi di ingegneria genetica sugli animali sono utili e positivi perché possono garantire la riproduzione di specie in pericolo o in via di estinzione, perché aumentano la resistenza a certe malattie, perché migliorano determinate caratteristiche degli animali aumentandone la produttività e perché fanno diminuire la sofferenza rendendo gli animali piú "adatti" alle condizioni artificiali in cui dovranno vivere.

Ma gli animalisti rifiutano completamente queste tesi sottolineando che qualunque mutazione genetica può dare luogo a malattie imprevedibili, e che per difendere gli animali dalle malattie basterebbe farli vivere in condizioni meno innaturali; senza contare che la manipolazione genetica per esaltare certe caratteristiche ottiene spes-

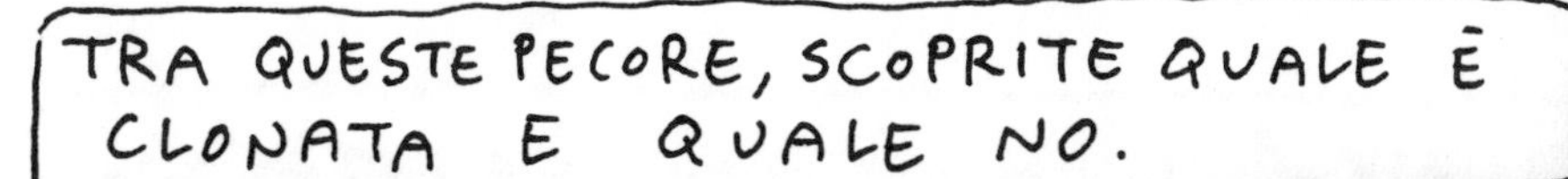

so risultati crudelissimi: basta pensare a certi bovini selezionati per diventare enormi, e che poi muoiono di infarto, non potendo sopportare il peso della propria stessa carne. Il preteso "adattamento" ai sistemi di allevamento, infine, rappresenta l'ultimo passo verso la trasformazione degli animali in macchine.

Anche l'ingegneria genetica deve, insomma, essere sottoposta a controlli molto rigidi: nessuno ha il diritto di modificare la natura, il corpo, gli istinti di un animale, manipolandolo senza riguardi per il puro tornaconto umano, soprattutto se da questo intervento deriva un danno per l'animale stesso. Sarebbe come confermare la **cultura del dispotismo** secondo la quale l'uomo è il signore assoluto degli altri esseri viventi.

La citazione

Usare l'ingegneria genetica, le biotecnologie per accrescere la produttività e l'efficienza degli animali d'allevamento accrescerà il peso e l'incidenza della sofferenza animale.

Michael Fox, 1992

L'ISOLA DEL DOTTOR MORETTI

...IL DOTTOR MORETTI VIVEVA SU UN'ISOLA SOLITARIA.

CONDUCEVA STRANI ESPERIMENTI DI VIVISEZIONE.

FORSE VOLEVA TRASFORMARE LE BESTIE IN PERSONE..

...O FORSE VOLEVA TRASFORMARE LE PERSONE IN BESTIE...

...ORA NON MI RICORDO PIÙ MOLTO BENE. QUELLO CHE SO...
...È CHE IL DOTTOR MORETTI HA FATTO UNA BRUTTA FINE QUANDO UN GIORNO LE SUE CAVIE SI SONO RIBELLATE.
H.G. Rebori

Capitolo 6

Giocattoli vivi

Nelle case degli animali umani vivono, sin dalla piú remota antichità, animali non umani che soprattutto negli ultimi due secoli hanno perso le caratteristiche di utilità (il gatto che caccia i topi, il cane che fa la guardia e accompagna nella caccia...) per fornire esclusivamente compagnia. E infatti, che si tratti di cani, gatti, uccelli, roditori o pesci rossi, vengono comunemente chiamati **animali da compagnia** e considerati a tutti gli effetti membri della famiglia.

Viziati, coccolati, oggetto delle attenzioni di un'industria con un giro d'affari di miliardi, che produce per loro alimenti, giocattoli, accessori, vestitini e perfino apposite videocassette da guardare nei lunghi pomeriggi di noia, quelli da compagnia sembrerebbero i piú fortunati fra gli animali, e invece non è affatto cosí.

Spesso sono animali selezionati geneticamente nel corso dei secoli per soddisfare le esigenze o i capricci degli uomini: cani da offesa e da difesa i cui istinti aggressivi sono stati esaltati al massimo, e che rischiano di diventare macchine per uccidere, oppure fragili cagnetti "da grembo" che sembrano soprammobili, o gatti persiani dal naso cosí schiacciato che fanno fatica a respirare, o, ancora, gatti *rag-doll* che si possono strapazzare impunemente perché non reagiscono al dolore, o gatti "nudi", praticamente senza pelo, selezionati per il loro aspetto curioso e anche per far compagnia agli allergici...

Non chiamarmi *pet*

Anche da noi si è ormai diffusa la parola inglese *pet* (dal verbo *to pet*, coccolare) per indicare gli animali che vivono in casa. Molti animalisti, però, preferiscono non usarla, come Michael Fox, che scrive: «Mi auguro che nel prossimo futuro il termine *pet* sia abbandonato per essere sostituito con "animale da compagnia", provvisto non di un padrone, bensí di un "tutore umano".»

Queste selezioni genetiche, accompagnate da torture ingiustificate – come il taglio delle orecchie e della coda (un tempo si usava tagliarle perché i cani "da lotta" non se le strappassero a vicenda durante le zuffe, ora lo si fa per presunte ragioni estetiche), oppure l'asportazione chirurgica delle unghie per i gatti – dimostrano chiaramente che gli animali da compagnia sono stati troppo a lungo trattati come veri e propri giocattoli vivi. E sono davvero molti gli uomini che, oggi, li considerano semplicemente accessori alla moda o *status symbol* da esibire.

Se a questo si aggiungono le scarse cure di allevatori privi di scrupoli, la costrizione a vivere in piccoli spazi e in luoghi spesso inadatti, l'alimentazione raramente adeguata, la mancanza di cure, i maltrattamenti, la soppressione indiscriminata dei piccoli con metodi crudeli, il rischio di venire abbandonati, ci si accorgerà che gli animali domestici non sono dei privilegiati.

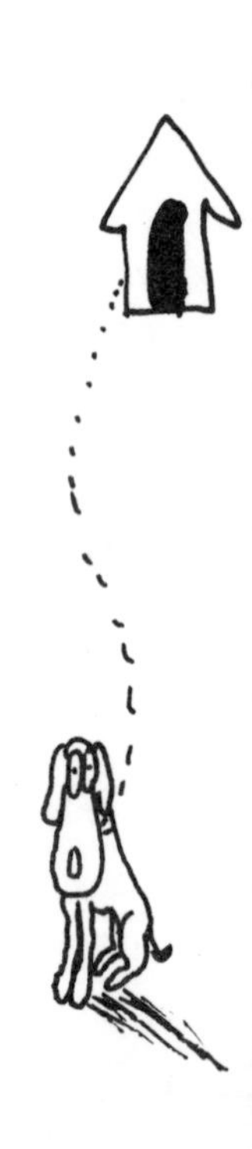

Naturalmente non è sempre cosí, perché moltissimi uomini provano un grande affetto per il loro compagno non umano e si preoccupano davvero di offrirgli una vita dignitosa. Le cose andrebbero molto meglio, comunque, se prima di prendere in casa un animale riflettessimo seriamente sulla responsabilità che ci stiamo assumendo, sugli obblighi che comporta, sul fatto che questa nuova presenza creerà un po' di scompiglio in casa e ci costringerà a cambiare qualcuna delle nostre abitudini.

Assolutamente miao

I gatti sono gli animali da compagnia piú diffusi nel mondo occidentale: negli Stati Uniti ci sono oltre quaranta milioni di gatti domestici, mentre le case italiane ne ospitano circa otto milioni.

Guai a prendere un cane, se poi non si ha voglia di portarlo fuori due volte al giorno e di curare la sua igiene (c'è perfino chi, con la scusa che l'animale puzza, non lo fa entrare in casa e lo tiene segregato su un balconcino); guai a prendere un gatto, se si amano le poltrone di casa piú della propria vita e se si inorridisce all'idea di cambiargli la lettiera. Guai a prendere un animale per "far giocare i bambini", che, se non sono adeguatamente guidati ed educati, rischiano di far male al nuovo ospite di casa o di essere azzannati o graffiati dopo averlo tormentato ben bene. Guai, soprattutto, a decidere di tenere un animale da compagnia senza mettere in conto che bisogna provvedere a lui anche quando si va in vacanza o si è costretti ad assentarsi.

Per fortuna che c'è la USL

Nelle città italiane ci sono innumerevoli randagi (per lo piú gatti) la cui vita è tutt'altro che facile: oltre alla difficoltà di procurarsi il cibo, al freddo, alle molte malattie che li colpiscono, al costante pericolo di essere investiti dalle auto, gli animali devono affrontare anche i maltrattamenti di ragazzini o adulti addirittura sadici, che li sottopongono a vere e proprie torture.

Moltissime sono le iniziative prese in loro favore dai privati (come le famose "gattare", che nutrono e curano gruppi di animali spesso numerosi), dalle associazioni animaliste e da veterinari volontari che prestano gratuitamente la loro opera.

Ma esiste anche una legge dello Stato (la 281 del 1991) che prevede tutta una serie di benefici per i randagi: in primo luogo i famigerati canili, che una volta erano una vera e propria anticamera della morte, vengono trasformati in rifugi dove gli animali sono ospitati e non avviati all'eliminazione; in secondo luogo si stabilisce che il controllo della popolazione animale "libera" presente in città vada fatto solo attraverso la sterilizzazione, e che i gatti hanno diritto di vivere liberi negli spazi urbani. Il controllo della salute dei randagi e la loro sterilizzazione gratuita sono affidati ai veterinari delle USL.

In molti Comuni italiani, inoltre, ci sono ormai degli efficienti Uffici Animali, che si occupano degli animali randagi, predispongono rifugi e "posti di ristoro" e hanno spesso bisogno di volontari: chi è interessato si faccia avanti!

Non è un caso che l'abbandono degli animali domestici – un fenomeno gravissimo nel nostro paese – tocchi la sua punta massima proprio in estate, quando centinaia di migliaia di cani e gatti (ma non soltanto loro: dove mettiamo le tartarughine e i pesci rossi "travasati" nelle fontane?) si ritrovano per strada e vengono travolti dalle auto, oppure vanno incontro a una vita estremamente stentata e quasi sempre brevissima. Non è vero, infatti, che gli animali domestici sappiano cavarsela dovunque e comunque, perché sono ormai del tutto dipendenti dall'uomo per quel che riguarda il cibo, e incapaci di difendersi perfino dai propri simili.
L'abbandono degli animali, comunque, è severamente punito dalla legge, e chi se ne rende colpevole può essere denunciato.

La citazione
Non arriveremo a pensare, invero un po' troppo frettolosamente, che l'essenza del pet *sia costituita dalla sua inutilità, se saremo in grado di vedere nei* pet *quello che in genere realmente sono: delle persone per procura. Ed è appunto in quanto persone per procura che possono aiutarci a superare il senso di anonimato e la mancanza di comunità generate dal tipo di vita che si conduce nelle grandi città.*

Marvin Harris, 1985

La giungla in casa
C'è chi non si accontenta di avere come animali da compagnia i soliti cani e gatti, e al loro posto sceglie i piú strani animali selvatici ed esotici: scimmie, grandi pappagalli colorati, piccoli felini venuti dritti dritti dalla giungla tropicale, serpenti boa, coccodrillini...

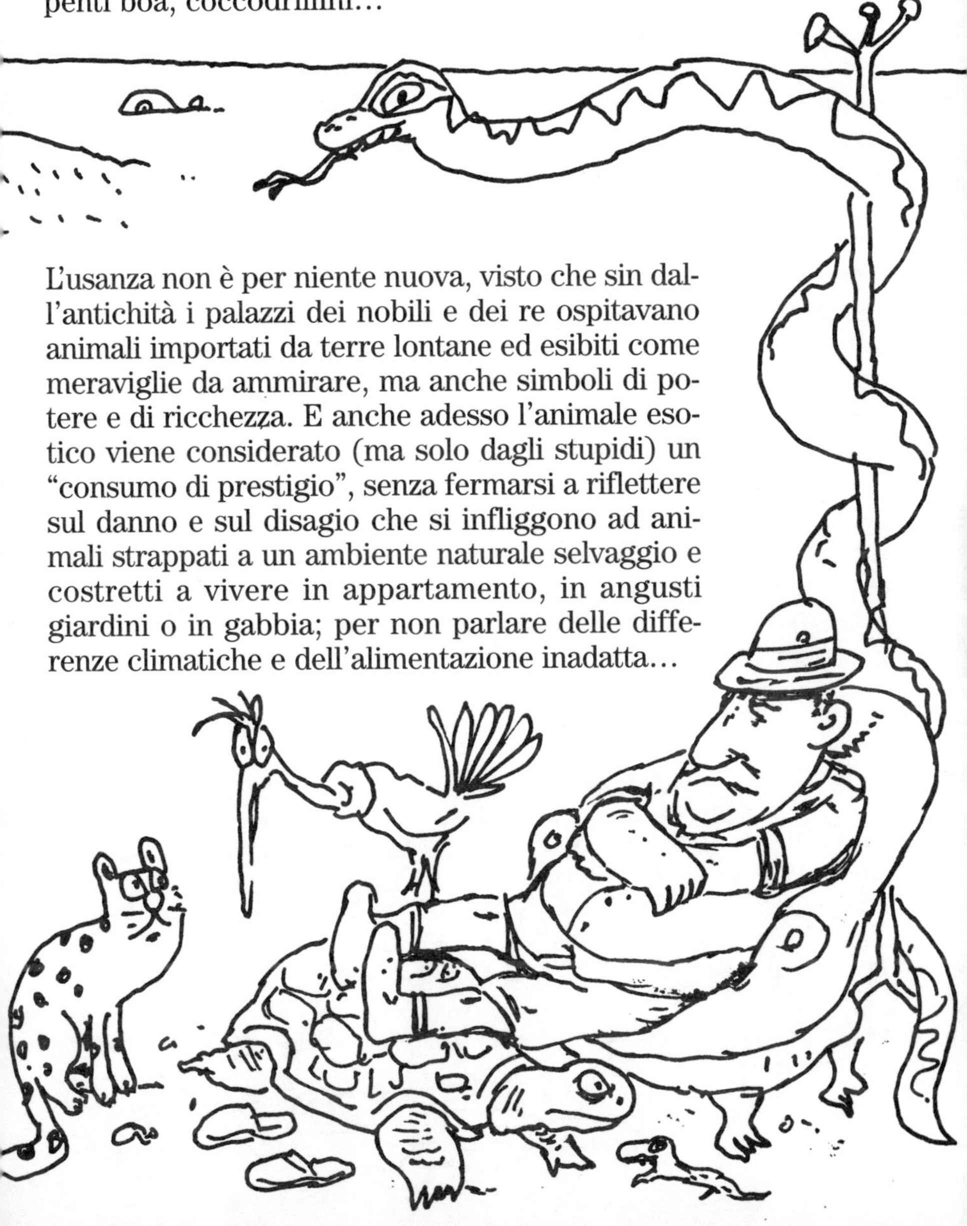

L'usanza non è per niente nuova, visto che sin dall'antichità i palazzi dei nobili e dei re ospitavano animali importati da terre lontane ed esibiti come meraviglie da ammirare, ma anche simboli di potere e di ricchezza. E anche adesso l'animale esotico viene considerato (ma solo dagli stupidi) un "consumo di prestigio", senza fermarsi a riflettere sul danno e sul disagio che si infliggono ad animali strappati a un ambiente naturale selvaggio e costretti a vivere in appartamento, in angusti giardini o in gabbia; per non parlare delle differenze climatiche e dell'alimentazione inadatta...

Questa assurda mania e il commercio che ne deriva hanno messo intere specie a rischio di estinzione e provocato la morte di milioni di animali, feriti o uccisi durante la cattura, o periti nel trasporto (che tra l'altro avviene in condizioni ancora peggiori del consueto, perché è illegale e semiclandestino).
Una Convenzione internazionale firmata a Washington nel 1973 vieta il commercio di piante e animali esotici appartenenti a specie a rischio. In Italia esistono alcune leggi che la rendono operativa (la 874 e la 150), ma il provvedimento piú importante è il decreto del Ministero dell'Ambiente (19.4.96), in cui si elencano tutte le specie animali che è vietato tenere in casa.
Grazie a queste leggi, nel nostro paese è proibito comprare, vendere e possedere quasi tutti gli animali esotici e selvatici, e sono vietati anche gli oggetti che si ricavano dal loro corpo.
Chi trasgredisce viene punito con multe salatissime.

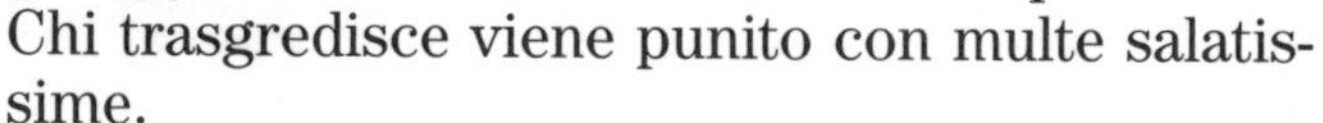

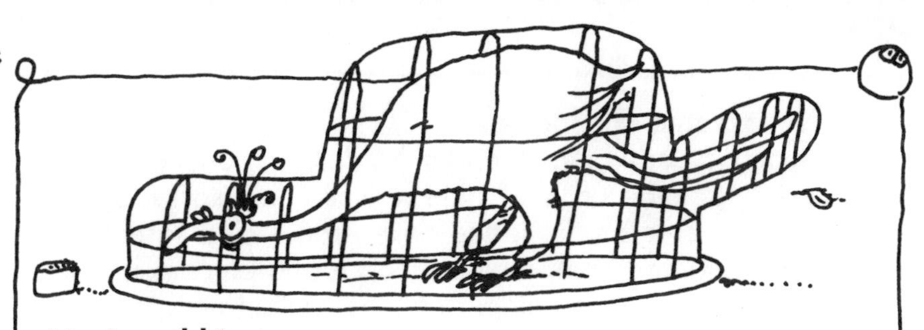

No, in gabbia no

Tenere in gabbia gli uccelli, specialmente quelli selvatici, è una autentica crudeltà. Qualcuno dice che quelli nati e cresciuti negli allevamenti, che non hanno mai conosciuto la libertà in vita loro, non soffrono di questa prigionia; ma non è affatto vero, perché i bisogni innati e gli istinti degli animali rimangono identici anche in cattività.

Liberare gli uccelli in gabbia (a meno che non si tratti di restituire la libertà a un selvatico) è comunque una sciocchezza, perché difficilmente se la caverebbero: anche se riuscisse a procurarsi il cibo e a sfuggire agli attacchi di predatori, l'uccellino morirebbe quasi certamente ai primi freddi, dato che buona parte degli uccelli di allevamento appartengono a specie provenienti da paesi caldi, e non sopportano le basse temperature.

Cosa bisogna fare, allora? Innanzitutto evitare di acquistare uccelli in gabbia, scoraggiare chi intende farlo e promuovere iniziative perché gli allevamenti vengano chiusi; chi ne possiede già uno, comunque, può cercare di rendergli la vita meno infelice garantendogli piú spazio possibile e prendendosene adeguatamente cura.

Dall'Amazzonia alle fogne
Il commercio degli animali esotici ha dato vita anche a certe curiose "leggende urbane" note a livello planetario. La piú famosa racconta che le fogne delle grandi città sarebbero piene di alligatori comperati quando erano piccolissimi, tenuti in casa come eccentrici *pet* e poi gettati nello scarico del gabinetto dai padroni ansiosi di liberarsene. Sopravvissuti al lungo viaggio nelle tubature, gli animali si sarebbero poi stabiliti nelle fogne, nutrendosi di topi e di rifiuti.

Attenti al riccio
Tutti hanno sentito parlare di specie animali che, in Europa come nel resto del mondo, rischiano di estinguersi. L'estendersi degli insediamenti umani, la sovrappopolazione, la distruzione degli ambienti naturali, l'alterazione degli equilibri ecologici, l'inquinamento, una caccia sconsiderata, le distruzioni provocate dalle tante guerre che si combattono in varie parti del mondo, l'uso di defolianti e pesticidi e altre calamità provocate dall'uomo hanno fatto sí che ogni giorno scompaiano per sempre specie vissute per milioni di anni sul nostro pianeta.

Un forte movimento d'opinione e l'energica azione delle associazioni ambientaliste e conservazioniste ha costretto i governi di tutto il mondo a prendere atto (almeno formalmente) del problema e a promulgare leggi che non sempre sono adeguate o applicate: ma è un primo passo, e dimostra che attorno a questi temi è nata una sensibilità collettiva un tempo impensabile.

Molto meno viva, però, è l'attenzione intorno ai rischi che corrono gli animali selvatici di casa nostra per colpa della ormai estesissima **antropizzazione** del territorio (cioè del suo adattamento alle esigenze degli uomini, che hanno bisogno di case, strade, aeroporti, pali della luce, ponti, ferrovie ecc.).

Alcune specie, bisogna dirlo, si sono adattate a questa situazione e ne hanno perfino tratto vantaggio: per esempio i gabbiani, che si sono insediati stabilmente in tutte le città di mare e in buona parte di quelle che dal mare non sono troppo lontane, vivendo dei rifiuti degli uomini e radunandosi in colonie attorno alle discariche. E anche altri uccelli, come loro, sono attirati dalle città sia per l'abbondanza di cibo disponibile, sia perché durante l'inverno la temperatura cittadina è di solito piú alta: storni che hanno smesso di migrare, rapaci e perfino qualche colonia di cormorani.

Ci sono altre specie che rischiano di venir sterminate dalla presenza di strade, e quindi automobili, nel territorio in cui vivono. La fitta rete stradale costruita nel nostro paese, infatti, ha provocato milioni di vittime fra i rospi, le lepri e i ricci, travolti e uccisi dalle auto. Ma anche rettili di vario genere, tassi e altri animali di media taglia, e perfino uccelli, muoiono in questo modo (a proposito, chi trova un animale investito da un'auto e ancora vivo, può portarlo al veterinario della USL locale oppure chiamare una delle associazioni animaliste che si occupano di curarli e rimetterli in libertà).

Per evitare quella che si configura come una vera e propria strage, in altri paesi si sono adottati particolari accorgimenti: per esempio la costruzione di barriere che impediscano agli animali di raggiungere la strada, oppure di sottopassaggi o sovrappassi che permettano loro di arrivare sani e salvi dall'altra parte (specialmente se le strade attraversano i loro percorsi abituali o gli itinerari dei migratori), e infine, l'uso di una segnaletica veramente efficace. Anche in certe regioni italiane si sta cominciando, sia pure molto lentamente, a fare qualcosa in questo senso.

L'ideale, però, sarebbe risolvere il problema a monte e costruire le strade (ma anche gli edifici) con criteri di **compatibilità ambientale**, tenendo cioè conto sia dell'ambiente naturale che dei non umani che lo abitano.

Dal diario di una gatta
ORE 8'00 Vorrei dormire un pó, ma i bambini vogliono giocare con me.
ORE 11'27 La padrona usa quel maledetto aspirapolvere
VOOOOOO
ORE 13'15 Devo mangiare i soliti croccantini. Perché non mi comprano mai un topo?

ORE 16'38 Sono chiusa nello sgabuzzino perché è venuto in visita il loro amico Guido con il suo stupido cane.
BAU! BAU!
ORE 18'40 Il padrone mi parla di calcio e io devo mostrarmi interessata.
ORE 21'30 Tengono la TV troppo alta, come al solito.
ORE 23'00 Finalmente dormono tutti e posso dedicarmi in pace ai miei prediletti studi di ASTRONOMIA.
Rebori

Capitolo 7

Bello, sí, ma "*cruelty free*"

Quella contro il massacro degli animali da pelliccia è una delle campagne animaliste che hanno avuto maggiore risonanza e suscitato piú polemiche. C'è chi dice, infatti, che criticare l'uso delle pellicce e cercare di fermare le innumerevoli uccisioni necessarie a realizzarle significa limitare la libertà altrui, perché ognuno si veste come gli pare.

Ovviamente un discorso del genere non regge, perché la propria libertà finisce là dove comincia il danno altrui: tra l'animale che vuole sopravvivere e la signora elegante che desidera indossare la sua pelle, è evidente che ha ragione il primo. Va anche ricordato che la morte dell'animale da pelliccia (provocata con metodi particolarmente crudeli, per non danneggiare la pelle), è solo l'ultimo atto di una esistenza tutt'altro che felice, visto che, prima di diventare un bel cappotto insieme a svariate dozzine dei suoi simili, il visone o il cincillà sono stati rinchiusi sin dalla nascita in allevamenti simili a prigioni.

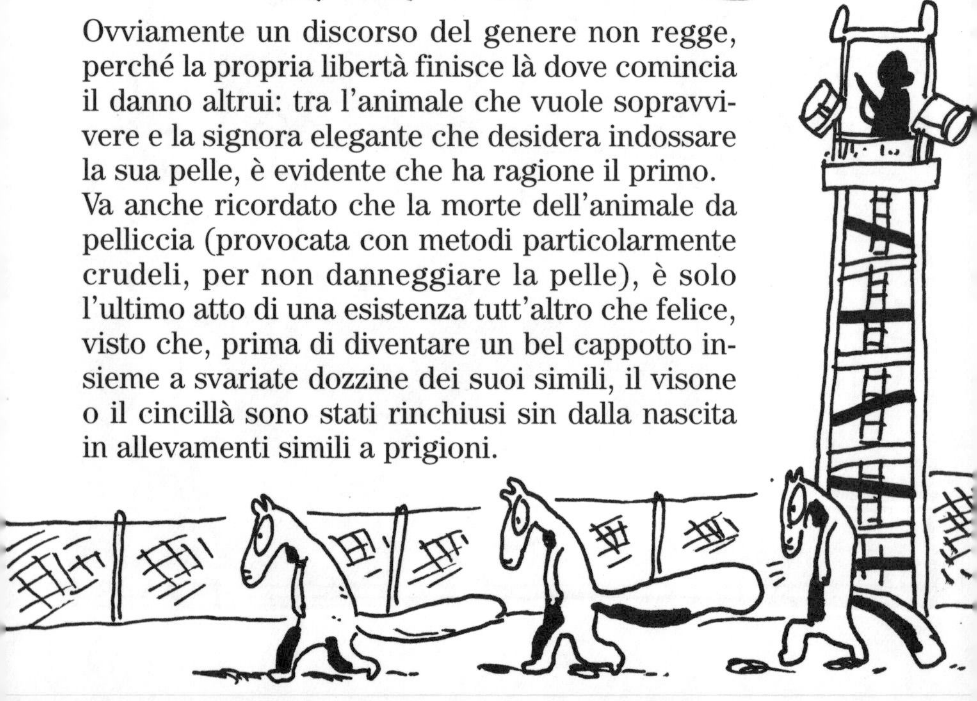

Alcune specie animali, inoltre, sono state sterminate o rischiano l'estinzione perché l'uomo ha dato loro la caccia in maniera indiscriminata per procurarsene la pelle, e questa è una ragione in piú, se ce ne fosse bisogno, per rinunciare a indossare le pellicce e chiedere che questo tipo di indumento sia messo al bando.
Se fa molto freddo, quindi, meglio ricorrere alle pellicce sintetiche, che almeno sono "*cruelty free*", ossia esenti da crudeltà.

CRUELTY FREE

"*Cruelty free*" è una dicitura che nei paesi di lingua inglese indica tutti i prodotti non sperimentati sugli animali, dai cosmetici ai detersivi, che gli animalisti prediligono perché non hanno provocato sofferenza ai non umani. In Italia non è facilissimo trovarli, anche se sono sempre di piú le aziende che li producono. Per quello che riguarda i cosmetici comunque, ci sono ditte che li vendono per corrispondenza e delle quali si può chiedere l'indirizzo alle associazioni animaliste.

Anche i pellami lavorati, quelli con cui si fanno le scarpe, le borse, le cinture e altri accessori, oltre a essere ricavati dalla pelle degli animali uccisi sono trattati con sostanze sperimentate sui non umani. Chi vuole evitarne l'uso di solito ricorre a scarpe e borse di speciali materiali sintetici, create apposta per il consumatore animalista, che all'estero si trovano un po' dappertutto e in Italia, invece, sono vendute solo da alcuni negozi.

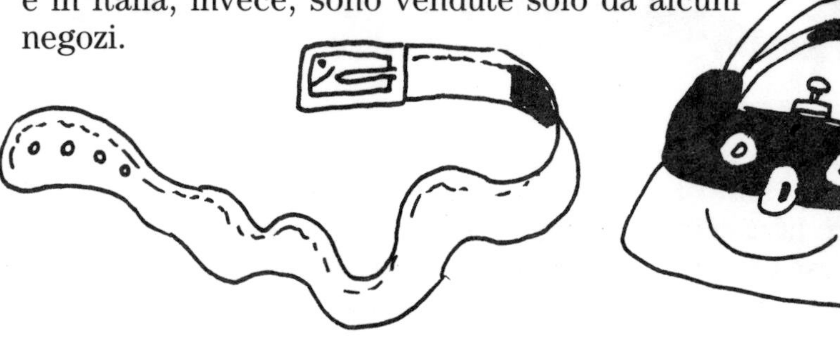

Adottami!

Con una spesa molto ragionevole, si possono "adottare" e salvare animali nati e cresciuti negli allevamenti e destinati soprattutto alle pelliccerie, ma anche ai laboratori scientifici. Chi vuole farlo può rivolgersi alle associazioni animaliste che hanno lanciato iniziative del genere.

Armati fino ai denti

Nel mondo occidentale nessuno piú, ormai, ha motivo di andare a caccia per procurarsi il cibo o per difendersi da animali feroci, eppure ogni anno, da settembre a gennaio, un esercito armato di tutto punto invade le campagne e i boschi sparando praticamente a qualunque cosa si muova: sono i cacciatori, che per "divertirsi" uccidono i pochi animali selvatici rimasti sul nostro territorio.

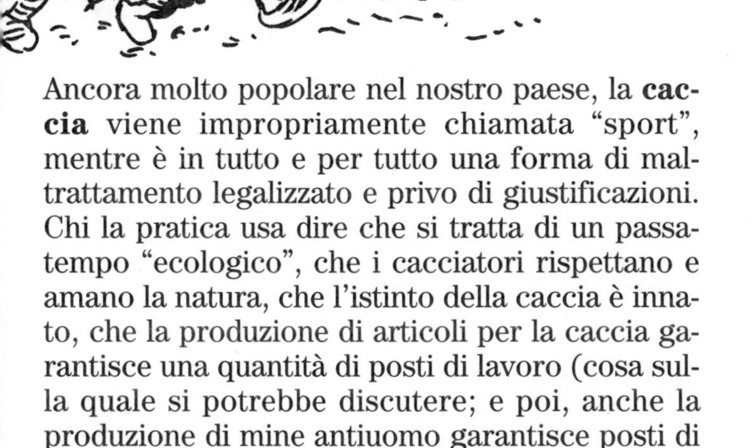

Ancora molto popolare nel nostro paese, la **caccia** viene impropriamente chiamata "sport", mentre è in tutto e per tutto una forma di maltrattamento legalizzato e privo di giustificazioni. Chi la pratica usa dire che si tratta di un passatempo "ecologico", che i cacciatori rispettano e amano la natura, che l'istinto della caccia è innato, che la produzione di articoli per la caccia garantisce una quantità di posti di lavoro (cosa sulla quale si potrebbe discutere; e poi, anche la produzione di mine antiuomo garantisce posti di lavoro, ma questa non è una buona ragione per

continuare a fabbricarne), ma nessuna di queste giustificazioni regge, di fronte alla sofferenza, alla paura e alla morte di animali il cui diritto alla vita dovrebbe essere indiscusso.

La caccia è comunque regolamentata dalla legge 157 del 1992, che stabilisce un periodo preciso per poterla praticare, richiede il possesso di una licenza e la controlla tramite il Corpo forestale e gli appositi uffici regionali e provinciali.

Chiunque vada a caccia nei luoghi e nei periodi non consentiti, o uccide animali di specie protette, commette un reato che si chiama **bracconaggio**. È un bracconiere anche chi caccia senza licenza o si serve di tagliole, vischio (una sostanza appiccicosa che si spalma sui tronchi e i rami degli alberi, in modo che gli uccelli vi restino appiccicati), oppure trappole, come i famigerati "archetti" con cui in certe zone d'Italia si catturano gli uccellini per accompagnare la polenta.

Gli animali che incappano nelle trappole e nelle tagliole muoiono in modo lento e orribile, e chiunque trovi uno di questi aggeggi mortali durante una passeggiata in campagna o nel bosco, farà bene a distruggerlo o a renderlo inoffensivo e a denunciare il fatto al Corpo forestale o ai carabinieri.

Viva la volpe!
È recentissima l'abolizione, in Inghilterra, di uno degli sport piú famosi e piú crudeli: la caccia alla volpe. Stanata, braccata e sbranata dai cani, sotto gli occhi compiaciuti dei cacciatori che seguivano a cavallo la corsa sfrenata degli animali attraverso i campi, la volpe faceva una fine spaventosa.

Adesso, però, può finalmente dormire sonni tranquilli, nonostante le proteste dei cacciatori, costretti a mettere nell'armadio (speriamo per sempre) le tradizionali giacche rosse che erano la loro divisa.

Tori, galli e piccioni

La caccia non è certo l'unico "passatempo" che comporti la sofferenza e la morte degli animali non umani.

I casi piú clamorosi sono quelli della corrida spagnola e dei combattimenti di galli (diffusi in tutta l'America Latina e in qualche paese orientale), uno spettacolo crudelissimo in cui animali addestrati a uccidere si avventano uno contro l'altro per lottare a colpi di becco e di speroni.

L'obiezione con cui si risponde a chi vorrebbe abolire questi spettacoli barbari è che si tratta di "intrattenimenti" secolari, profondamente legati alle tradizioni e alla cultura di un popolo.

Ma l'argomento non regge: col cambiare della sensibilità collettiva cambiano anche le tradizioni, tanto è vero che moltissime, fra quelle che prevedevano maltrattamenti e sevizie contro gli animali, sono state abbandonate da tempo e senza particolari proibizioni.

Pensiamo, per esempio, agli autentici massacri di gatti che, nell'Europa occidentale, accompagnavano certe feste popolari, durante le quali le povere bestie venivano squartate, impiccate o bruciate vive.

E anche certi cosiddetti "sport" di provata crudeltà, come il tiro al piccione (i bersagli dei fucili erano piccioni cui erano state asportate alcune penne delle ali, in modo che volassero con minore sicurezza e velocità) sono stati aboliti per legge. In Italia, per esempio, a partire dal 1994 chi vuole sparare a un bersaglio mobile non può piú utilizzare animali vivi.

Perfino certi divertimenti discutibili, come il circo che presenta animali ammaestrati o quelle autentiche, malinconiche prigioni che sono gli zoo, si vanno profondamente modificando: alcuni circhi, infatti, si stanno orientando verso spettacoli senza animali, basati solo sull'esibizione della forza e della destrezza umana, e i giardini zoologici si avviano ad avere una funzione esclusivamente "conservativa", cioè ad ospitare gli ultimi esemplari di specie quasi estinte e, se possibile, a favorirne la riproduzione.

NE • REINCARNAZIONE • REI
SECONDO ALCUNE RELIGIONI ORIENTALI, LE PERSONE CHE IN VITA SONO STATE CATTIVE SI REINCARNANO IN ANIMALI.
NON CREDEVO A QUESTE STORIE, FINCHÉ UN GIORNO:
FERMO!
FERMO! SONO TUO NONNO!
IL NONNO SERAFINO?!
ESATTO! MI SONO REINCARNATO IN UNA MOSCA.

COME SI CHIAMAVA TUA MOGLIE?
ADELINA.
È VERO: LA NONNA SI CHIAMAVA ADELINA.
SONO IO, TI DICO!
MA SCUSA, TU IN VITA SEI SEMPRE STATO UNA PERSONA BUONA E ONESTA...
LO SO...
E ALLORA COME FUNZIONA? IO CREDEVO CHE...
FUNZIONA PER SORTEGGIO.
DA QUEL GIORNO NON HO PIÚ AMMAZZATO UNA MOSCA: POTREBBE ESSERE IL NONNO CHE VIENE A FARMI COMPAGNIA.
Rebori

Capitolo 8

Consigli ai giovani animalisti

1. Una scelta di vita

Si può essere animalisti in tanti modi: per esempio attraverso un impegno diretto che prevede la partecipazione alle attività di un'associazione nazionale o di un gruppo locale, oppure il volontariato nei servizi predisposti da qualche comune.

Ma, se non hai la possibilità o la voglia di dedicare il tuo tempo libero a queste attività, puoi comunque fare delle scelte ben precise che riguardano la vita quotidiana, la dieta, i consumi: per esempio soccorrere gli animali in difficoltà, reagire ogni volta che assisti a maltrattamenti e alla violazione delle leggi che tutelano i non umani (in entrambi i casi, oltre a intervenire direttamente, puoi avvertire le associazioni animaliste, i carabinieri, il Corpo forestale, il veterinario del-

la USL), rinunciare al consumo della carne di vitello oppure diventare vegetariano, scegliere prodotti *cruelty free*, firmare petizioni, dare un contributo in denaro alle associazioni animaliste o ai rifugi per animali, informarti, discutere, riflettere...
L'importante è fare qualcosa di concreto, adesso e subito.

2. IO NON MANGIO GLI ANIMALI

Se hai deciso di diventare vegetariano, può darsi che la tua famiglia non sia d'accordo e i tuoi amici ti prendano un po' in giro, come sempre succede quando si fa una scelta diversa, di qualunque tipo sia.

In Italia, tra l'altro, il vegetarianesimo non ha una tradizione consolidata come all'estero, non è molto diffuso e neppure particolarmente incoraggiato: i ristoranti vegetariani sono pochissimi, in quelli "normali" non esistono i menú per vegetariani, le mense scolastiche non prevedono l'esistenza di chi non mangia carne o pesce, è difficile trovare prodotti alimentari in cui non ci siano sostanze derivate dalla carne o dal pesce, e cosí via.

Il giovane animalista vegetariano, però, ha tutto il diritto di rivendicare con garbo la propria "diversità" e di chiedere che se ne tenga conto. E se poi ti dicono che rifiutare la carne non serve a niente, perché gli altri continuano tranquillamente a mangiarla e quindi l'uccisione degli animali continuerà in eterno... rispondi che, se tutti ragionassero cosí, al mondo non cambierebbe mai nulla; la scelta di un singolo è in primo luogo un esempio e una testimonianza del fatto che le cose potrebbero essere diverse, e poi, unita a quelle di altre persone che la pensano come lui, può diventare un vero e proprio strumento di pressione nei confronti dell'opinione pubblica, della politica e del mercato.

LE MINORANZE SONO IL SALE DELLA TERRA

Lo stesso discorso vale anche nel caso tu venga criticato se hai deciso di non indossare pellicce, di non usare scarpe, borse o cinture di cuoio, di non comperare prodotti sperimentati su animali... Tutte scelte "di minoranza" (ma le minoranze sono il sale della Terra!), e tuttavia molto piú diffuse di quanto non si creda, visto che il mercato, sensibilissimo a certi mutamenti di rotta, ha cominciato a tenerne conto anche nel nostro paese.

3. Abbasso i luoghi comuni

Ti capiterà senz'altro, prima o poi, di venir trascinato in una discussione da qualcuno che tirerà fuori tutti i possibili luoghi comuni sull'animalismo: chi si preoccupa degli animali non ama gli uomini... ci sono tanti bambini che soffrono la fame, e tu pensi alle bestie... in fondo sono solo animali, non capiscono, si adattano, non soffrono... non mi dire che se gli scarafaggi ti invadono la casa non useresti l'insetticida... e come la mettiamo con le piante? In fin dei conti sono vive anche loro... ma se non bisogna uccidere gli animali, allora non si può neppure camminare per evitare di pestare le formiche...

E poi l'ultima, trionfante bordata: «Ma non lo sai che Hitler era vegetariano?»

Discutere con persone cosí è faticosissimo e alquanto inutile: trincerate dietro un solido muro di frasi fatte, in genere non sono disposte né ad ascoltare, né a capire, né ad accettare la possibilità che si possa pensarla diversamente da loro.

Tu, però, cerca di mantenere la calma e di smontare serenamente le "verità" e le "sentenze" che il tuo interlocutore ti propina: dopotutto, disponi di ottimi argomenti e sei informatissimo, mentre è probabile che non si possa dire lo stesso di chi sta discutendo con te.

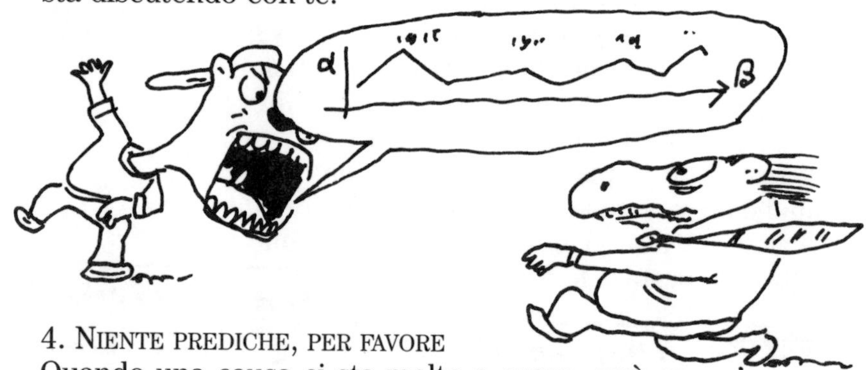

4. Niente prediche, per favore

Quando una causa ci sta molto a cuore, può capitarci di non parlare d'altro e di voler "convertire" anche chi non vuole proprio saperne. Attenzione, perciò, a non ritrovarsi nel ruolo di seccatore a tempo pieno e a non scivolare nel fanatismo; pur senza rifiutare la discussione e il confronto, è sbagliato e controproducente voler fare proseliti ad ogni costo, anche perché vivere serenamente e coerentemente le proprie scelte è piú efficace di mille prediche.

Anche l'aggressività è decisamente fuori luogo: un conto è rivendicare il diritto a veder rispettate le proprie opinioni e le proprie scelte dietetiche o di consumo, un altro è sedersi a tavola in

compagnia e prendersela con chi "mangia cadaveri", oppure svillaneggiare per strada le signore in pelliccia. Atteggiamenti del genere sono maleducati e intolleranti, ma soprattutto esibizionisti; è un po' come gridare ad alta voce, anche se gli altri non vogliono sentirlo: al contrario di voi, io sono nel giusto e soprattutto sono diverso e speciale, perciò guardatemi, guardatemi, guardatemi!
Il senso di giustizia e la sacrosanta indignazione che muovono un animalista si esprimono in ben altri modi.
E, per finire, attenti a dichiararvi animalisti solo se ci avete ben riflettuto e siete profondamente convinti delle buone ragioni di questa scelta, che rappresenta una vera e propria assunzione di responsabilità nei confronti dei non umani: l'animalismo è una cosa seria, non una moda qualsiasi o una maniera per "distinguersi dalla massa".

La citazione
L'animalismo si basa su autorevoli teorie morali, implica conoscenze filosofiche e scientifiche, ma non è una questione puramente accademica. Non è nemmeno uno sfizio di alcuni esagitati o un lusso di qualche anima bella. I problemi morali suscitati dal rapporto con gli animali esistono nella vita quotidiana di tutti, nessuno escluso. Il primo passo è saperlo e cominciare a pensarci, per poter fare delle scelte.
Anna Mannucci, 1997

Indirizzi utili

In Italia esistono associazioni locali e nazionali che si occupano in vario modo degli animali e dei loro diritti. Quelle elencate qui sotto sono le principali: basteranno una lettera o una telefonata per avere tutte le informazioni necessarie.

LAV – Lega Italiana Antivivisezione

Nata nel 1977, opera per l'abolizione totale della vivisezione e di qualsiasi tipo di violenza compiuta su ogni essere vivente. È la principale associazione antivivisezionista e animalista in Italia e una delle maggiori in Europa. Ha sviluppato molte iniziative per l'abolizione di: vivisezione, caccia e corrida; per il diritto alla vita degli animali randagi; contro la prigionia negli zoo e nei circhi; contro l'uso di pellicce; per la diffusione dell'alimentazione vegetariana.

La LAV ha coordinato in Italia la campagna europea per l'abolizione dei test cosmetici sugli animali e conduce la campagna "Non indossiamo crudeltà" contro il massacro degli animali da pelliccia. Dal 1980 conduce la campagna "W il Circo, ma senza gli animali" che comprende una proposta di legge per vietare l'utilizzo degli animali negli spettacoli.

Coordina per l'Italia le iniziative europee contro gli allevamenti intensivi e dei vitelli in "box". Nel 1993 ha ottenuto l'approvazione della prima legge al mondo che permette l'obiezione di coscienza alla vivisezione per gli studenti universitari. Nel '96 ha lanciato l'accordo "EAR – *Europe for Animal Rights*" (Europa per i Diritti degli Animali) insieme al Belgio, alla Francia e alla Grecia.

La LAV è politicamente indipendente e coinvolge nelle sue iniziative amministratori locali e parlamentari di ogni orientamento, perché le istanze animaliste vengano accettate e trasformate in leggi. Pubblica i bimestrali "Impronte" e "Piccole Impronte" (per i piú giovani).
Chi volesse saperne di piú, potrà ricevere informazioni gratuite scrivendo a LAV - Via Sommacampagna 29 - 00185 ROMA, tel. 06/4461325.

LAC (Lega per l'Abolizione della Caccia)

La LAC è nata nel 1978, a Milano, è una associazione apolitica e apartitica e ha sedi in tutta Italia.

Il suo scopo principale è quello di abolire la caccia, di difendere i diritti di ogni essere vivente e di tutelare l'ambiente. Per questo ha promosso alcuni referendum popolari e organizza campagne contro il bracconaggio, l'uccellagione, i "calendari venatori" irregolari e contrari alla legge nazionale, le fiere venatorie e la violenza contro gli animali in genere.

Tra le sue tante iniziative va ricordata soprattutto una intensa attività antibracconaggio, condotta da volontari che individuano e segnalano le violazioni alla legge sulla caccia; questo servizio di "vigilanza venatoria" è particolarmente attivo in alcune zone d'Italia dove il bracconaggio è una vera e propria piaga: le valli bresciane (dove 25 000 volontari LAC hanno sequestrato oltre 30 000 archetti, e dove esiste anche un Telefono Antibracconaggio); la Sardegna; le isole del Tirreno in cui ogni primavera tornano gli uccelli migratori; lo stretto di Messina, attraversato ogni anno dai falchi pecchiaioli e dai grandi rapaci di ritorno dall'Africa.

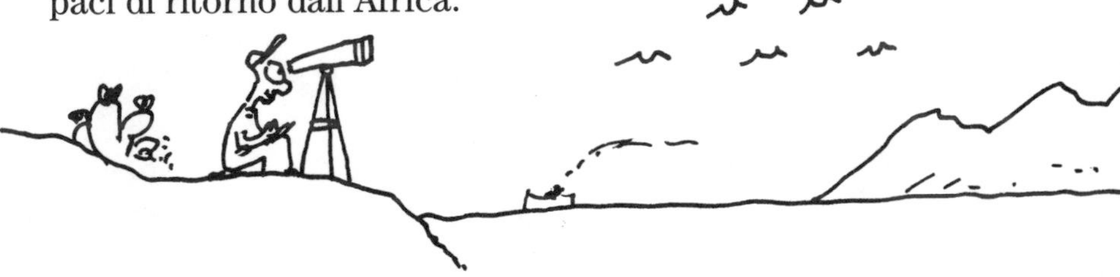

L'associazione pubblica un notiziario destinato ai soci.
Chi vuole partecipare alle iniziative della LAC oppure iscriversi, può scrivere o telefonare alla sede centrale di via Bligny 22 - 20136 Milano, tel. 02/58306583.

LIPU – LEGA ITALIANA PROTEZIONE UCCELLI

Nata da circa vent'anni, a Parma, è un'associazione che lavora per la salvaguardia e la cura degli uccelli. È l'unico centro in Italia in grado di soccorrerli validamente se feriti, coperti di catrame o inabili a volare. Oltre la sede centrale di Parma, ce ne sono altre a Roma, a Livorno e se ne sta aprendo una in Sicilia. Tutte le sedi organizzative sono anche veri e propri "ospedali" dove, oltre il pronto soccorso per gli uccelli, c'è anche un servizio per qualsiasi altro animale bisognoso di aiuto. La LIPU accetta volontari cui insegna gratuitamente, nei suoi centri, come soccorrere uccelli e altri animali.

Per informazioni, scrivere o telefonare a:

- LIPU - Vicolo S. Tiburzio 5 - 43100 PARMA - tel. 0521/233414 oppure 0521/273043.
- LIPU - Piazzale Clodio 13 - 00195 ROMA - tel. 06/39730903.

WWF – World Wildlife Found
È un'associazione internazionale presente in Italia dal 1966, che lavora per la preservazione della diversità biologica; la promozione dell'uso sostenibile delle risorse naturali; la lotta contro l'inquinamento e lo spreco di energia e di risorse.
Oltre ai programmi per la conservazione e la difesa degli Ecosistemi, per il rimboscamento, per i rifiuti, per il rispetto delle leggi che regolano caccia e pesca, per la difesa delle acque di fiumi, laghi e mari dall'inquinamento, e delle coste dalla speculazione edilizia (costruzione di case e alberghi che impediscono o alterano gravemente gli equilibri dell'habitat), il WWF ne organizza moltissimi a favore degli animali.
Si può essere membri di questa associazione con una piccola somma annua devoluta a favore delle varie iniziative e ricevere mensilmente un opuscolo con programmi e resoconti.
Chi vuole ricevere gratuitamente tutte le informazioni, scriva a:
WWF Italia
Via Garigliano 57 - 00198 Roma - tel. 06/ 844971.

DIVENTO VEGETALIANO
CELTO!
BASTA! NON MANGIO PIÚ NÉ CARNE NÉ PESCE!
?
NON VOGLIO PIÚ NÉ UOVA, NÉ LATTE NÉ FORMAGGIO!
NON LO SAI CHE LE PIANTE SONO SENSIBILI ALLA MUSICA?
EH?
PARE CHE CRESCANO MEGLIO SE ASCOLTANO DELLA BELLA MUSICA.

E TU VORRESTI MANGIARTI DEGLI ESSERI COSÌ SENSIBILI?
VORRESTI AFFETTARE GLI ZUCCHINI...
... SCHIACCIARE LE NOCI INDIFESE...
... BOLLIRE DEI POVERI FAGIOLI...
...SOFFRIGGERE DELLE INNOCENTI CIPOLLE...
BASTA, BASTA, DAMMI UN WHISKY PER FAVORE!
Rebori

I giovani animalisti leggono...

Vuoi leggere un romanzo in cui si parla di temi animalisti, di conservazione dell'ambiente e delle specie in pericolo, di grandi amicizie tra uomini e animali? Nelle edizioni Mondadori troverai:

JUNIOR +10

Mary Stewart **La piccola scopa**

Sam Llewellyn **Alec contro tutti**

Gerald Durrell **Un viaggio fantastico**

Jerry Spinelli **Crash**

JUNIOR AVVENTURA

Gary Paulsen **La cerva bianca**

Cynthia De Felice **Cacciatori di piume**

Ronald Smith **La caverna del tuono**

JUNIOR GIALLO

Akif Pirinçci **La società dei gatti assassini**

JUNIOR SUPER

Gerald Durrell **Mia cugina Rosy**

Robert Westall **Blitzcat**

JUNIOR GAIA

Jean Craighead George **Julie dei lupi**

Manuale del Giovane Scrittore Creativo

Drizzare le orecchie e acchiappare al volo le parole strane come farfalle variopinte. Rivoltarle come un guanto alla ricerca di nuovi significati. Approfittare degli errori involontari per inventare storie strampalate. Assaggiare giocando la lingua italiana e sperimentare nuove ricette.
Ritorna, rivisto e ampliato, il manuale che Bianca Pitzorno aveva pubblicato qualche anno fa sotto lo pseudonimo di Snoopy.
Questa volta a fare da guida agli aspiranti Giovani Scrittori Creativi ha chiamato un suo popolarissimo personaggio: Prisca Puntoni, la scrittrice in erba protagonista di *Ascolta il mio cuore*.

Manuale della Giovane Ballerina

Le luci si spengono, la musica accompagna il sipario che si apre e là, su un palcoscenico dove le fiabe diventano realtà, le ballerine danzano sulle punte, leggere come farfalle nei loro tutú. Se avete sognato almeno una volta di essere al loro posto, se state facendo i vostri primi passi di danza, oppure se volete semplicemente saperne di piú sulla lunga e difficile strada che bisogna percorrere per danzare su un palcoscenico, questo manuale è per voi.
Ci troverete un po' di storia e tante curiosità, ma soprattutto moltissime informazioni pratiche su come, dove e quando iniziare la vostra carriera di ballerina.E, infine, sei deliziosi racconti "sulle punte" per respirare l'aria del palcoscenico e dare un'occhiata dietro le quinte.

Manuale del Giovane Giallista

Un punto di riferimento per chi vuole approfondire e ampliare le proprie letture, ma anche un ottimo strumento per chi il giallo lo conosce solo "di vista".
Notizie e curiosità sui maggiori scrittori di gialli e sui loro indimenticabili personaggi, da Sherlock Holmes all'Emilio di Kästner, passando attraverso Dick Tracy e Maigret.
Giochi, consigli e idee per imparare a leggere e, perché no?, anche a scrivere "in giallo", ripercorrendo storie da brivido e situazioni impossibili, esaminando gli scenari di "casi celebri" e "delitti perfetti", assaporando brividi ed emozioni.

Manuale della Paura

Sapete quali sono i luoghi, i suoni, i colori, i personaggi della paura? Avete mai provato a scrivere un racconto horror? Conoscete i piú bei film del terrore di tutti i tempi? Pensate che esista il piacere della paura? E, soprattutto, avete mai veramente riflettuto su che cos'è la paura, come si manifesta, come si affronta e come si vince?
Se la risposta è no, dovete assolutamente leggere questo manuale pieno di informazioni, citazioni, rivelazioni, test, quiz, scherzi e fumetti.
Se invece avete risposto sí a tutte le domande... leggetelo lo stesso, perché ci troverete senz'altro qualche novità "terrificante" capace di stupirvi!

Manuale dei Tranelli dell'Italiano

Quando usiamo una lingua per comunicare, ci muoviamo in un labirinto di suoni e di segni, di frasi e di regole, fitto di "tranelli" in cui rischiamo di cadere. Se disponiamo di una "mappa" che ci dica quali sono e dove sono tali tranelli, sarà piú facile evitarli. A tal fine è orientata la moderna scienza dell'"analisi dell'errore" che tende a sviluppare la "coscienza dell'errore", per portarci a evitarlo, prima razionalmente, poi istintivamente.
Scritto con un migliaio di parole, le piú semplici dell'Italiano, e arricchito da sezioni esplicative di riferimento, questo manuale, aggiornato e ragionato, mira appunto alla prevenzione anziché alla correzione dell'errore.

Manuale del Giovane Giornalista

Ogni giorno, nel mondo, accadono un numero infinito di fatti e gli uomini si scambiano milioni di informazioni. Solo poche di queste però vengono lette durante il telegiornale della sera e le troviamo stampate sui quotidiani e sulle riviste. Quando e come un fatto diventa una notizia? E come si scrive? Partendo dalle risposte a queste prime domande il manuale vi accompagnerà in un viaggio alla scoperta del mondo dell'informazione, dalla tecnica dell'intervista all'organizzazione di un quotidiano. Dall'invenzione della radio e della televisione ai sondaggi, fino alle reti telematiche. Da quando gli uomini hanno cominciato a comunicare fino ai consigli pratici per fare un vostro giornale.